삶을 관통하는 이야기

남킹

https://brunch.co.kr/@wonmar

소설가. 남킹 컬렉션 #001 - #444 출간을 목표로 합니다.

스페인 알리칸테 거주.

발 행 | 2024-02-13

저 자 | 남킹

펴낸이 | 한건희

펴낸곳 | 주식회사 부크크

출판사등록 | 2014.07.15(제2014-16호)

주 소 | 서울 금천구 가산디지털1로 119, A동 305호

전 화 | 1670 - 8316

이메일 | info@bookk.co.kr

ISBN | 979-11-410-7126-4

본 책은 브런치 POD 출판물입니다.

https://brunch.co.kr

www.bookk.co.kr

삶을 관통하는 이야기
브런치 스토리

남킹

목차

마르 데페스에게 이 책을 바칩니다.

남킹 컬렉션

대기업 부회장과 트럭 운전사

고급 승용차가 신호등에 멈췄다. 뒷좌석에는 중년의 신사가 타고 있다. 그는 모 대기업 부회장이다. 그는 창을 통해 도시의 뿌연 하늘을 쳐다보며 긴 한숨을 쉬었다. 그는 회사의 매출 실적에 늘 압박을 느꼈다.

그때, 승용차 옆으로 큰 트럭이 멈췄다. 트럭 운전사는 왼팔을 창턱에 걸친 채, 라디오에서 흘러나오는 <나미>의 <빙글빙글>을 흥얼거리고 있었다.

그저 바라만 보고 있지
그저 속만 태우고 있지
늘 가깝지도 않고
멀지도 않은 우리 두 사람

그러다 우연히 두 사람의 눈이 마주쳤다. 부회장과 운전사.

운전사는 속으로 생각했다.
'아! 부럽다! 나도 저런 풍족한 삶을 하루라도 살아 봤으면!'

부회장은 트럭 운전사를 물끄러미 올려다보며 자조했다.

'아! 부럽다! 단 하루라도 편안하게 살아 봤으면!'

거짓과 상상
혹은
죄와 벌

남킹 장편소설

남킹 컬렉션 #002

신의 땅 물의 꽃

낭킹 장편소설

낭킹 컬렉션 #003

죽이고 싶지만 섹스는 하고 싶어
#1

삶을 관통하는 이야기

지하철을 탄 나는 기분이 좋았다. 조금 전 끝난 회식 자리에서 부장에게 칭찬을 들었기 때문이다.

"요즈음 MZ세대답지 않아요. 우리 조필호 사원. 열심히 하는 모습 보기 좋습니다. 아무쪼록 좋은 인연으로 오래오래 함께하기를 바랍니다. 자 그럼 우리 귀염둥이 신입인 조필호 사원을 위해 건배합시다!"

과장도 한마디 거들었다.

"저도 무척 기분이 좋습니다. 우리 회사에 복덩이가 들어 온 것 같습니다."

그 자리에 참석한 다른 직원들도 모두 고개를 끄덕이며 동의를 표했다. 나는 쏟아지는 칭찬에 부끄러워, 얼굴을 붉힌 채 고개를 들 수 없었다. 하지만 기분만큼은 하늘을 찔렀다. 나는 지난 3년간, 자의 반 타의 반의 병원 생활을 청산하고, 눈을 대폭 낮춘 뒤 중소기업에 취업했다. 그리고 육 개월 동안 누구보다 성실히 일했다.

누가 요구하지도 않았지만, 나는 남들보다 조금 일찍 나와 사무실을 정리·정돈하였고, 가장 늦게 퇴근하였으며, 항상 밝은 미소와 적극적인 태도로 상사와 동료들을 대했다. 업무도 빨리 배웠고 어려운 일도 마다하지 않았다. 나는 아버지의 가르침대로, 사회에서 초년생이 사랑받기 위한 행동이 무엇인지를 잘 꿰고 있었다. 아버지는 늘 입버릇처럼 다음과 같이 말씀하셨다.

"사랑받는 사람의 귀는 아무리 낮은 소리도 들리기 마련이란다."

나는 바로 그 소리를 듣고자 노력했다. 고래도 춤추게 한다는 그 칭찬을.

밤 11시가 가까워져 오지만 전철 내 승객은 많은 편이었다. 나는 영등포구청역에서 2호선으로 갈아타고 신도림역으로 가는 중이다. 마침 내가 선 곳에 자리가 났다. 나는 본능적으로 사방을 둘러보며 노약자나 임산부를 찾았다. 모두 젊은이들 뿐이었다. 그들은 각자의 휴대폰 세상에 푹 빠져 있었다. 나는 조심스레 좌석에 앉았다.

나의 옆에는 생머리를 귀신처럼 길게 앞으로 늘어뜨리고 선잠이 든

듯한 여인이 꾸벅꾸벅 졸고 있었다. 잠시 그녀를 훔쳐보며 얼굴 옆라인이 예쁘다고 느꼈다. 화장품 냄새도 좋았다. 나는 코를 벌름거리며 그녀의 향을 본능적으로 공유하려고 노력했다. 그러자 오랫동안 억눌렀던 생물학적 본능이 용솟음쳤다.

'아, 한 번만이라도 좋으니 만져 봤으면…'

하지만 어디까지나 생각이었다. 남녀 간의 신체 접촉에 무척 까다로운 잣대를 들이대는 우리 사회에서 나는 어떻게 대처하여야 하는지를 잘 알고 있다. 나는 무관심한 듯 고개를 내리고 나의 휴대폰에 집중하기 시작했다.

그녀의 머리는 전철의 흔들거림에 따라 상하좌우로 건들거렸다. 그러다 조금씩 조금씩 나의 어깨 쪽으로 그녀의 머리가 기울어졌다. 그리고 마침내 나의 어깨에 닿고 말았다. 나는 그녀의 머리 무게가 차츰차츰 무거워져 가는 것을 느꼈다. 그녀는 완전히 잠에 빠진 것 같았다.

누가 보면 다정한 연인 같은 모습이었다. 그녀의 머리에서는 특유의

쉰내가 올라왔다. 나는 고개를 돌린 채, 나의 어깨를 살짝 올려 그녀의 머리를 반대 방향으로 유도해보았지만, 뜻대로 되지 않았다. 할 수 없이 나는 그 상태로 꼼짝없이 갈 수밖에 없었다. 사실 뭐, 싫지는 않았다.

이윽고 신도림역이 가까워졌다. 많은 승객이 하차하려고 출입구 주변으로 이동하기 시작했다. 내가 앉은 자리 바로 옆이 출입구였으므로 내 주위에 많은 승객이 몰려들었다. 나도 이곳에서 내리기 위해 일어서려고 했다. 하지만 나의 어깨를 점령한 그녀는 세상모른 채 잠들었고 만약 내가 그냥 일어선다면 그녀는 속절없이 쓰러질 것처럼 보였다.

'그렇게 되면 갑자기 잠에서 깬 그녀는 잠시 당황한 모습을 보일 것이고, 이 장면을 지켜본 승객 중 몇 명은 웃을지도 몰라. 그러면 이 가여운 여인은 부끄러워 얼굴을 들 수도 없겠지….'

나는 이 여인에 대해 안타까운 상상을 이어가며 어떻게 처신해야 할지를 고민했다.

'곧 내려야 하는데…. 어떡하지?'

할 수 없이 나는 검지와 중지를 이용해 그녀의 머리를 살살 밀었다. 그런데 그 순간 전철이 덜컥거리며 쇳소리를 내더니 속도가 대폭 줄기 시작했다. 차 안의 모든 승객이 순간 휘청거렸다. 그리고 뒤이어 여자의 앙칼진 목소리가 크게 울려 퍼졌다.

"어딜 만지는 거에요?"

사람들의 시선이 모두 소리 나는 곳으로 향했다. 내 옆 여인이었다. 그녀는 매서운 눈초리로 나를 응시하기 시작했다. 그리고 나의 손가락 두 개를 꽉 거머쥐고 있었다. 마치 범죄 현장에서 결정적인 증거를 확보한 형사처럼 그 모습이 결연해 보였다. 그 순간, 몇몇 승객이 잽싸게 그들의 휴대폰으로 나를 촬영하기 시작했다. 당황한 나는 말을 더듬었다.

"제 제 제가 뭘?"

그때, 지하철이 멈추었다.

"왜 이 손가락 두 개가 내 가슴에 있는 거예요?"

그녀는 나의 손가락을 주변 사람에게 보란 듯이 들어 보이며 내게
따졌다.

"무 무슨 소리예요? 가 가슴에 있다니?"

버스 민폐녀

남킹 슬픈 이야기

남킹 컬렉션 #027   소설집

거짓과 상상
혹은
죄와 벌

남킹 장편소설

남킹 컬렉션 #002

죽이고 싶지만 섹스는 하고 싶어

#2

나는 당황한 채 벌떡 일어섰다. 그리고 그녀가 꼭 잡은 손가락을 힘껏 당겨 풀었다. 마침 출입구가 열리고 있었다. 나는 가슴에 가방을 움켜쥔 채 허겁지겁 달아나려고 하였다. 하지만 내 앞에서 나를 지켜보던 청년 두 명이 몸으로 나를 막아섰다.

"여 여기서 내려야 합니다."

나는 애원하는 듯한 표정으로 그들을 바라보며 비켜 달라고 요구했다. 하지만 그들은 나를 강하게 붙잡았다.
"도망가시면 안 됩니다. 마무리는 하셔야죠. 저 여자분에게 사과하시던가."

나는 점점 여러 청년에게 에워싸이기 시작했다. 나를 촬영하는 휴대폰의 숫자도 늘어났다.

"저 저 저는 만지지 않았습니다."
"아뇨. 만졌어요! 아저씨! 아저씨가 저를 성추행한 거잖아요!"

그녀의 외침이 다시 울려 퍼졌다.

나는 고개를 강하게 저었다. 그리고 절망적인 표정으로 주변 사람에게 애원했다.

"제발 믿어주세요. 그리고 나가서 얘기하면 안 될까요? 저 신도림에서 내려야 합니다."
"그래요. 나가요. 어차피 저도 여기서 내릴 예정이었어요. 게다가 신고도 해야 하니까."

* * * * * * * * * * * *

그녀와 나는 천천히 신도림역 안내센터로 걸어갔다. 내 뒤로 여러 명의 청년이 졸졸 따라오며 촬영을 하고 있었다.

"나는 단지 당신의 고개를 젖혔을 뿐이야. 너가 곯아떨어졌으니까."

여자는 고개를 세차게 저었다.

"아냐. 너는 자는 나의 가슴을 만졌어. 내가 눈을 떴을 때, 확실히 너의 손가락 두 개가 나의 가슴에 닿았으니까."

"그건, 우연이야. 일종의 사고지. 내가 너의 머리를 두 손가락으로 들어 올리려는 순간 전철이 덜컥거렸기 때문이야."

나는 언성을 높였다.

"아냐, 너는 분명히 나를 만지려고 한 거야. 나는 너의 의도를 모를 정도로 어리석지 않아."
여자의 목소리도 커졌다. 옆에 우리를 지켜보던 목격자가 우리 대화에 끼어들었다.

"여기 이러고 있지 말고 일단 경찰에게 갑시다. 역사에 가면 안내 받을 수 있어요."

"전 절대 하지 않았습니다. 절 믿어주세요. 제발."

"절대 믿을 수 없어요."

"정말로 절대로 절 못 믿는 겁니까?"

"네. 정말로. 죽으면 죽었지 절대로 당신을 믿지 못해요!"

"그러지 말고 그냥 여기서 끝냅시다! 당신도 힘들어져요."

"무슨 소리예요? 아저씨! 여기서 끝내다뇨? 절대 그럴 수 없어요."

"그럼 끝까지 갈 생각인가요?"

"가야죠! 당신이 잘 못 했으니까요!"

"후회 안 할 자신 있어요?"

"아저씨! 지금 저 협박하는 거예요?"

"협박은 아니지만, 당신이 지금 저를 코너에 몰아넣고 있어요. 저는 참는 성격이 아니란 말입니다. 저는 그냥 그런 사람이 아니란 말입니다!"

"어떤 사람인데요? 지하철 성추행범이잖아요!"

"확신하세요? 제가 당신의 가슴을 만졌다는 것을?"

"무슨 소리예요? 아저씨! 손이, 아니 손가락 두 개가 어디 있었어요? 아저씨가 더 잘 아시잖아요!"

"저 아저씨 아닙니다. 총각입니다."

"아무튼 성추행했잖아요!"

신의 땅 물의 꽃

남킹 장편소설

남킹 컬렉션 #003

파벨 예언서

떠오르는 위협

남킹 장편소설

남킹 컬렉션 #008

죽이고 싶지만 섹스는 하고 싶어

#3

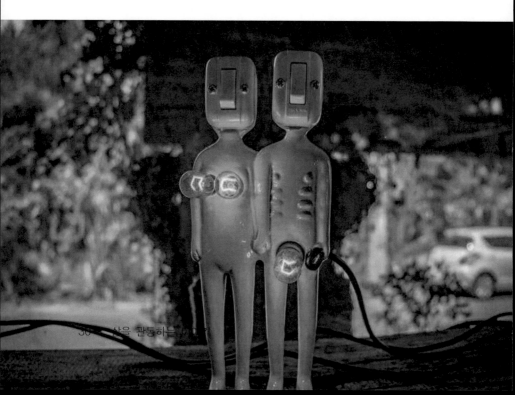

삶을 관통하는 이야기

"자꾸 성추행 성추행하는데 저는 분명히 하지 않았어요. 당신의 무거운 머리를 제 어깨에서 떼어 내기 위해 손을 쓴 거뿐이라고요."

"그러면 당신 손이 제 머리에 있어야지 왜 제 가슴에 있었나요? 제 머리가 가슴에 달렸어요?"

"그건 이미 말했잖아요! 전철이 급정거했다고요! 아시겠어요? 당신의 머리를 들어 올리는 그 순간 말이에요!"

"그럼, 머리는 왜 만졌어요? 남의 머리 함부로 만져도 되는 거에요?"

"당신이 잠들었잖아요! 당신이! 내 어깨에 기댄 채 코까지 골면서 잤다고요!"

"아하! 그러니까 내가 잠들었으니까 마구 만졌겠군요! 그렇죠? 어디 어디 만진 거에요?"

"무슨 소리에요? 당신 대가리만 두 손가락으로 민 것뿐이에요!"

"아무튼 만진 건 만진 거잖아요!"

"그럼 어떡해요? 나는 내려야 하는데! 그 순간 내가 일어서면 당신은 그냥 쓰러지는 거에요!"

"그러니 당신은 내가 잠든 것을 보고 기회다 싶어 머리를 만지는 척하면서 가슴에 손을 갖다 댄 거잖아요!"

"어휴! 내가 말을 말아야지!"

"입이 열 개라도 할 말이 없죠? 아무튼 역에 신고할 거니까 같이 가든 말든 그건 아저씨 맘대로 하세요!"

"아저씨 아니라니까!"

"자꾸 말꼬리 잡고 늘어지지 마세요. 이름도 모르는 성추행범 아저씨!"

"좋습니다. 같이 갑시다. 가서 한번 따져 봅시다. 단 아저씨라 부르지는 마세요! 저는 엄연히 총각입니다."

"그럼, 뭐라고 불러요? 성추행범?"

"조필호. 제 이름은 조필호입니다."

"좋아요. 조필호씨. 갑시다."

"아줌마는 이름이 뭐예요?"

"저 아줌마 아니에요."

"그럼, 아가씨 이름은 뭐예요?"

"그건 알아서 뭐 하게요?"

"하 참! 이 여자 정말 웃기네!"

"제가 웃기게 보이나요? 콩밥 좀 먹고 정신 좀 차려야겠네요. 조필호씨. 지금 세상이 어떤 세상인데 감히!"

"이 아줌마 정말 이상한 여자네. 지금 저하고 한판 붙어보자는 건가요?"

"조필호씨! 당신이 내 앞에서 무릎 꿇고 싹싹 빌어도 용서해 줄까 말까예요. 아시겠어요? 지금 상황이! 당신이 지금까지 숱하게 저지른 그 죗값을 이제 받게 될 거예요. 아시겠어요?"

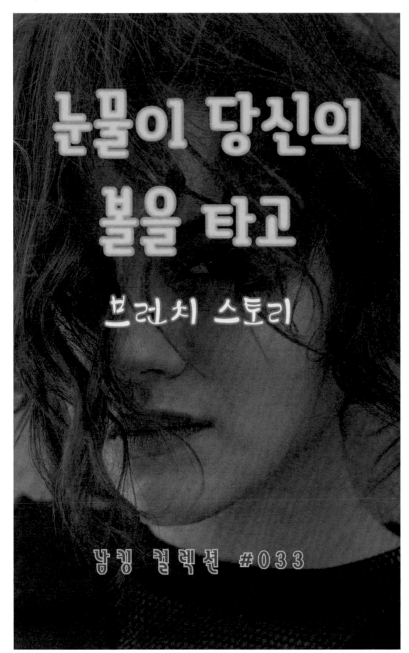

눈물이 당신의
볼을 타고

브런치 스토리

남킹 컬렉션 #033

서글픈
나의 사랑

남 킹 장 편 소 설

남킹 컬렉션 #025

죽이고 싶지만 섹스는 하고 싶어

#4

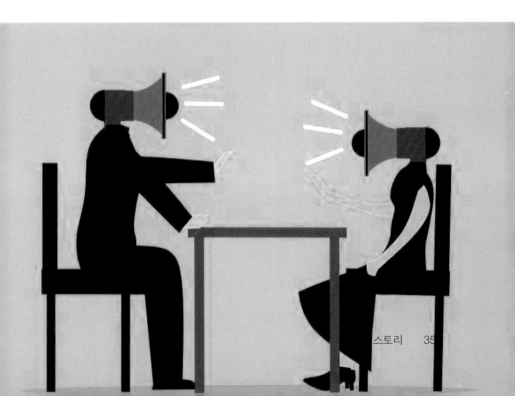

"자자 진정하시고. 왜 자꾸 화부터 내십니까?"

"아니 형사님! 제가 화 안 나게 생겼어요? 저 치한이 내가 자는 사이 내 옆자리에 앉아 무슨 짓을 했는지 생각만 해도 소름이 쫙 끼쳐요!"

"저 형사 아닙니다. 그냥 역무원입니다."

"아무튼 역무원님. 저 아저씨 잡아가세요! 저런 인간 때문에 불안해서 대중교통을 이용할 수가 없어요."

"아줌마! 나는 당신 같은 인간 때문에 전철을 탈 수가 없어! 진짜로 두 팔을 자르든가 해야지! 손을 둘 곳이 없어!"

"그래! 잘라라! 이 더러운 인간아!"

"아이, 참, 왜 이러십니까! 두 분 다 조용히 하세요! 어차피 CCTV 확보 중이니까 여기 진술서만 작성하시고 가시면 됩니다. 나중에 해당 파출소에서 연락이 갈 거니까요. 사실 여부는 법정에서 하시고요."

"그럼, 형사님. 이걸로 법정까지 가는 건가요?"

"저 형사 아닙니다. 역무원입니다. 그리고 두 분이 합의 안 하시면 뭐 어떡합니까? 법으로 해결해야죠."

"네, 맞아요. 저런 인간은 콩밥 좀 먹어야 정신 차려요! 합의고 나발이고 고소 치하고 나발이고 전혀 없으니까 그렇게 아세요! 성추행범 아저씨."

"조필호! 조필호라니까! 이 머저리 같은 여자야! 아저씨 아니라고 몇 번이나 소리쳐야 알아듣냐?"

"그래, 조필호. 너 이 새끼 오늘 너의 제삿날이야! 알겠어? 너는 곧 내 앞에서 손이 발이 되도록 싹싹 빌게 될 거다! 알겠어? 이 더러운 치한새끼야!"

"아이, 참! 심인자씨! 그만 하세요! 지금 여기서 자꾸 그리시면 심인 자씨도 소란죄로 잡혀갑니다! 알겠어요!"

"아하! 저 아줌마 이름이 심인자구만!"

"아줌마 아니라니까! 귓구멍이 막혔나? 나 처녀란 말이야! 알겠어? 조필호!"

****

"제발 살려주세요! 조필호님!"

"이젠 제가 하지 않았다는 것을 믿는 건가요? 심인자씨!"

"네. 그럼요. 당신을 믿어요. 그러니 제발…"

"죽으면 죽었지 절대로 나를 믿지 못한다고 이전에 말씀하신 것 같은데…."

"제가 그땐 미쳤는가 봐요. 마음에 없는 헛소리가 그냥 나온 것뿐이에요. 그러니 조필호님. 저를 용서하시고…."

"제가 그랬죠? 그만하자고…. 그런데 심인자님이 끝까지 가자고 하셨잖아요."

파벨 예언서

떠오르는 위협

남킹 장편소설

남킹 컬렉션 #008

심해

남킹 장편소설

남킹 컬렉션 #004

죽이고 싶지만 섹스는 하고 싶어
#5

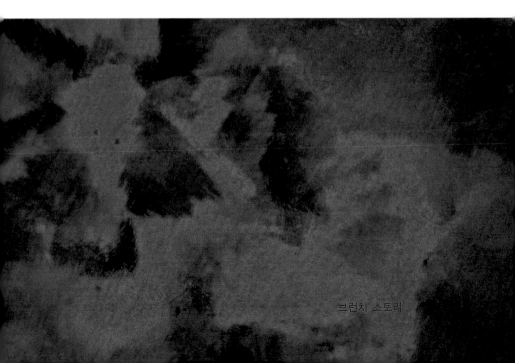

브런치 스토리

"정말 미안해요. 정말 죄송해요. 전혀 그럴 마음이 없었는데 그만 나도 모르게 그렇게 된 거예요. 제발 용서해 주세요."

"하지만 저는 심인자님 당신을 믿을 수 없어요. 지금이야 이렇게 잡혀 있으니까 그저 빠져나올 요량으로 하는 거잖아요. 내가 가고 나면 당신은 곧바로 경찰서로 달려가겠죠."

"아뇨. 절대로 그러지 않을게요. 그냥 없었던 일로 할게요. 절대로 절대로 그러지 않겠습니다. 그러니…. 제발…."

"그걸 어떻게 믿죠? 당신이 신고하지 않을 거라는 것을 어떻게 제가 확신할 수 있나요?"

"제가 미쳤어요? 당신을 신고하게요. 한번 생각해보세요. 당신이 저의 집에 이렇게 불쑥 나타났는데 제가 신고를 하면 저는 평생 보복의 두려움 속에 살게 될 거잖아요. 제가 왜 그러겠어요?"

"그건 아니죠. 생각해보세요. 제가 당신 집에 무단 침입한 순간부터, 이전 성추행은 이제 사건도 아닌 것이 된 거예요. 알겠어요? 무슨 말인지? 이제 제가 잡혀가면 저는 강도죄가 성립되는 거예요. 감옥에서 수십 년을 썩게 된다는 말입니다. 그러니 당신은 발 뻗고 편안하게 잘 거고요."

"하지만 언젠가는 교도소에서 나올 거잖아요?"

"당신은 세월의 속성을 모르는군요? 세월이 약이라고도 하잖아요. 게다가 할아버지가 되어 있을 텐데… 과연 당신을 찾아 복수할 의지가 있긴 있을까요? 그리고 다시 그 끔찍한 교도소로 돌아갈 용기는요?"

"그럼, 조필호님. 당신이 저의 집에 찾아온 이유는 저를 죽이기 위함인가요?"

"네. 그럴 생각이었어요."

"뭣 때문에? 겨우 성추행범이잖아요."

"겨우 성추행범이 아니니까 문제죠. 우리가 지하철에서 싸우고 있을 때 주위를 한 번이라도 봤어요?"

"주위요?"

"네. 우리 주변 말입니다. 하나같이 휴대폰으로 우리를 찍고 있었어요. 아마 지금쯤 온라인상에 우리의 동영상이 끝없이 번지고 있을 거에요."

"하지만 그렇다고 당신을 죄인으로 몰지는 않을 거에요."

"심인자님, 우습네요. 불과 몇 시간 전까지만 해도 나를 추잡한 성추행범으로 몰아 콩밥을 먹이려고 길길이 날뛰지 않았어요? 게다가 당신이 주위 사람들을 부추겼잖아요. 그들이 우리의 영상을 찍고 인터넷에 퍼트리도록 당신이 미끼를 던진 거잖아요."

"정말 정말 미안해요. 제가 요즈음 안 좋은 일이 너무 많아 그냥 정신이 나갔는가 봐요. 제발 용서해 주세요."
"무슨 일이 있었는데요?"
"며칠 전 우연히 전 남친을 봤어요. 레스토랑에서."
"그런데요?"
"어떤 외국 여자와 밥을 먹고 있었어요. 여자의 배는 남산만 하더군요."
"그런데요?"

"그놈의 표정이…. 그 표정이…. 너무 행복해 보였어요. 연신 웃으며 그 여자의 배를 쓰다듬는 모습이 마치…. 행복에 겨워 죽겠다는…."

"얼마나 사귄 거였어요?"

"오래되었죠. 대학 과 커플이었어요. 스무 살에 만나 서른셋에 헤어졌어요."

"그럼 13년?"

"네. 그런 셈이죠."

"왜 헤어진 거예요?"

"여러 가지 이유가 있지만…. 무엇보다 남자 집안이 가난했어요."

"그게 헤어진 이유라고요?"

"네. 그냥 반지하 월세방에서 출발하고 싶진 않았어요."

"원래 처음에는 다 그렇게 출발하는 거잖아요?"

"무슨 소리예요? 그렇지 않아요! 적어도 제 친구들은…. 그래도 코딱지만 한 아파트라도 다들 장만하고 시작했어요."

"남자가 무직이었어요?"

"아뇨, 대기업 다녀요."

거짓과 상상

혹은
죄와 벌

남킹 장편소설

남킹 컬렉션 #002

죽이고 싶지만 섹스는 하고 싶어

#6

"그럼? 뭐가 문제에요? 번듯한 직장 있겠다 둘이서 열심히 벌면 언젠가 경제적 문제는 해결될 수 있는 거잖아요."

"그래서 지금 괴로운 거예요. 알겠어요? 그땐, 바보같이… 제가 뭔가에 단단히 홀린 것 같았어요. 대학 시절 나보다 훨씬 못났던 친구들이 잘사는 거에 그냥 심통이 났어요. 그래서 지금 이 모양 이 꼴이 된 거고요."

"지금이 어떤데요?"

"아저씨! 보면 모르겠어요! 단칸방 원룸에 혼자 초라하게 살고 있잖아요. 내일모레면 서른여섯인데…"

"그래서 남자에 대한 적개심이 생긴 거예요?"

"그런 셈이죠. 하지만 어제처럼 아저씨에게 노골적으로 분노를 드러낸 적은 없었어요. 정말이에요."

"하참! 아저씨 아니라니까!"

"네, 죄송해요. 조필호님. 아무튼 저는 무작정 생떼 쓰며 막무가내로 모르는 남자에게 죄를 뒤집어씌우는 그런 사람은 절대 아닙니다. 조필호님. 그러니 제발…"

"그런데 어제는 왜 그랬어요?"

"그런 일이 있었어요. 회사에서."

"무슨 일인데요?"

"그저께 눈이 많이 왔잖아요. 그런데 남자 신삥이 왜 남자들만 제설작업해야 하냐고 위에다 따진 게에요. 그래서 뜬금없이 여직원들도 제설작업을 같이 한 거에요. 6년 동안 한 번도 그런 적이 없었는데."

"회사에서 제설작업을 시켜요?"

"네, 공무원이거든요."

"그런데 제설작업은 같이 하는 게 맞잖아요?"

"네. 맞죠. 그러니 분통 터진다는 거에요. 제 아까운 청춘을 쏟아 여성의 권리를 옹호하고 여성의 차별을 반대하며 살았는데…. 지금 그 결과를 한번 보세요…. 예전 같으면 남편이 벌어다 주는 돈으로 알뜰살뜰 살림하며 오순도순 아기 키우며 느긋하게 살면 되었는데 지금 저를 보세요! 남자는 다 떠나가고 저는 죽을 때까지 직장생활 해야 하잖아요. 그런데 이젠 그 직장에서 누리던 작은 배려도 다 사라지고 있잖아요! 도대체 이놈의 페미니즘은 누구를 위한 건가요?"

"자업자득이군요."

"네. 그러니 그냥 심통이 난 겁니다. 조필호님. 그러니 제발 목숨만 살려주세요."

"그러면 이렇게 하시죠. 심인자님."

"어떻게요?"

"우선 당신이 나를 무고했다는 영상을 남기는 겁니다. 즉, 조필호가 성추행한 사실이 없는데 단지 세상 남자에 대한 적대감으로 즉흥적으로 했다. 뭐 이런 내용의 동영상을 남기는 거죠."

"그러면 저를 살려주시는 건가요?"

"그리고 또 한 가지 더 있습니다."

"뭔가요?"

"저와 섹스해야 합니다. 그것도 그냥 수동적인 그런 섹스가 아니라 구구절절 너무너무 사랑하는 연인의 뜨거운 정사 장면으로 연기를 해야 합니다."

"네? 섹스를요? 그건 왜요?"

"만일을 위한 거죠. 당신이 절대 신고 못 하게 하는 장치입니다. 그리고 또 한 가지 이유를 들자면⋯. 그러니까⋯. 그게⋯."

"또 뭐죠?"

"저는 그러니까⋯. 아직 여자하고 한 번도⋯."

"아직 한 번도 못 해봤어요?"

"네. 아직⋯. 한 번도⋯."

"이상하네요⋯. 조필호님 얼굴정도면 여자들이 꽤 따랐을 것 같은데요⋯."

"헤헤헤. 빈말이라도 감사합니다. 사실 오랫동안 정신병원에 있다가 6개월 전에 나왔어요."

"왜요?"

"우울증이죠. 자살 시도를 몇 번 했거든요."
"왜 그랬어요?"
"알잖아요. 한국 사회. 모두 경쟁에 지쳐 우울하잖아요."
"네. 그건 그렇죠. 그런데 얼마나 오랫동안?"
"3년 있었어요. 병원에."
"지금은 다 나았어요?"

"아뇨. 하지만 많이 좋아졌어요. 마음을 비웠거든요. 쇼펜하우어 덕
분에. 그냥 지금은 덤으로 사는 삶이라고 생각하고 있어요. 그러니
이런 행동도 할 수 있는 거예요. 어차피 삶은 무의미하니까. 아무것
도 아니니까. 그냥 이러는 거예요. 즉, 언제 죽어도 상관없다는 뜻이
죠."
"그래서 저와 같이 죽을 생각을 한 거예요?"
"네. 그런 셈이죠. 그런데 당신과 섹스할 생각을 하면서 살고 싶다
는 느낌이 들었어요."
"그럼 우리 같이 살아요! 섹스하면서!"

* * * * * * * * * * * * *

나는 일주일 뒤 그녀의 원룸으로 거처를 옮겼다.

<끝>

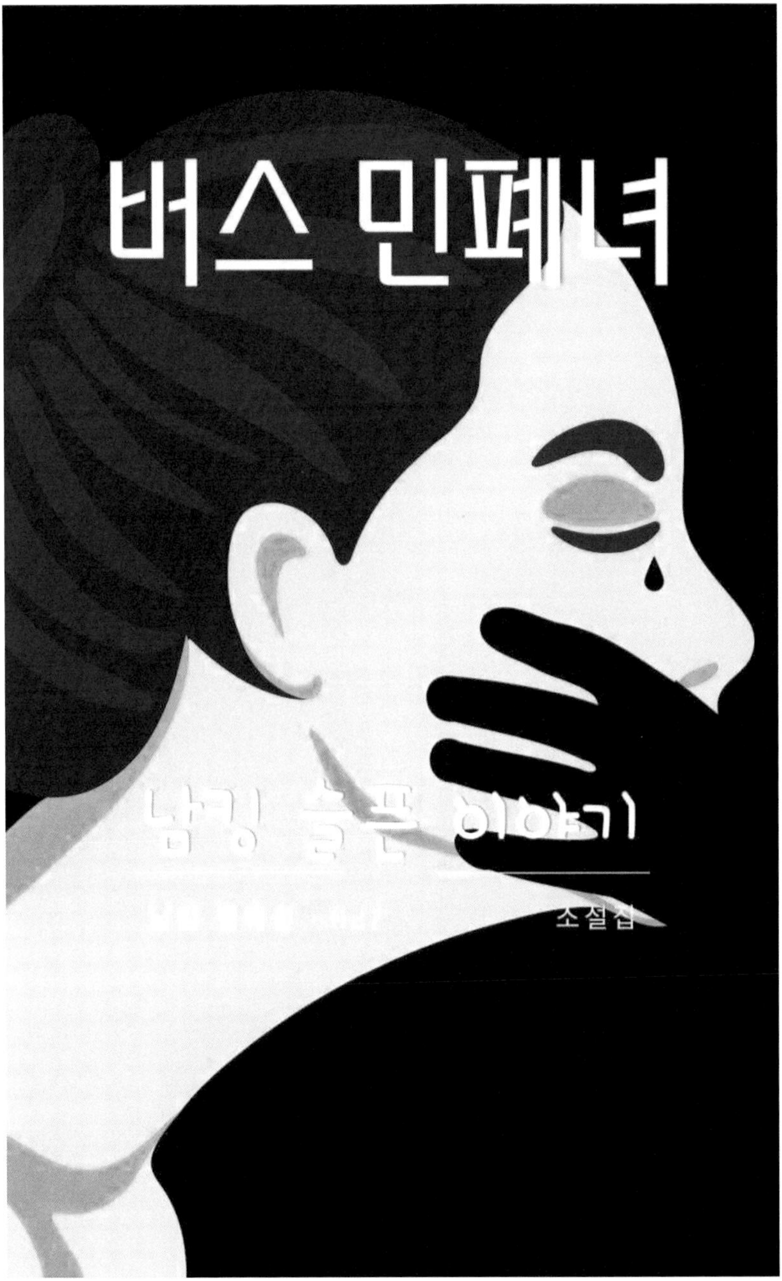
버스 민폐녀
소설집

착한 남봉근 사장의 슬픔 #1

남봉근은 살기 위해 한국을 떠났다.

"한마디로 종합병원입니다. 남봉근님"

의사를 모니터를 보며 말했다.
"고혈압, 고지혈증, 비만, 고혈당… 지금 당장 쓰러져도 전혀 이상
하지 않은 상태입니다. 나이 서른아홉. 신체 나이는 이미 예순아홉입
니다."

봉근은 어쩔 수 없이 회사를 그만두었다. 그의 퇴사 소식에 회사 전
체가 들썩었다. 그도 그럴 것이 봉근은 억대 연봉의 잘나가는 게임
개발자였다. 조만간 개발 이사 자리가 내정된 상태였다. 하지만 그는
느끼고 있었다. 이대로 가다간 곧 죽을 수 있다는 것을….

봉근은 입사 후 대부분을 회사에서 살았다. 야근을 밥 먹듯이 했다.
게임 프로그래머의 숙명이라고 그는 자위했다. 하루 대부분을 푹신
한 의자에 박혀 손가락만 까닥였다. 줄담배에 폭음, 야식을 즐겼다.
회사에서 그의 가치는 점점 올라갔지만, 그의 사랑은 멀어져갔다. 결
국 작년에 이혼 도장을 찍었다.

텅 빈 아파트. 그는 의사의 충고대로 온라인 게임을 끊고 앞동산, 뒷동산, 강변 산책 도로를 홀로 돌아다녔다. 하지만 날이 저물고 집에 돌아오면 외로움이 그를 짓눌렀다. 뭔가를 해야만 했다. 몸을 움직이는 직업이 필요했다. 그래서 그는 요리학원에 다니기 시작했다. 차례로 한식, 일식, 중식조리기능사를 취득했다.

남봉근은 폴란드 브로츠와프에 있는 한인 식당에 주방보조로 취업했다. 브로츠와프는 한국 기업이 많이 진출한 공업도시다. 모 대기업의 전기 자동차 배터리 공장을 건설하는 근로자의 삼시 세끼 식사를 준비하는 게 그의 일이었다. 오전 5시부터 오후 5시까지, 하루 12시간, 주 6일 근무의 힘든 노동 환경과 적은 급여지만 그는 만족했다.

우선 몸을 움직여 일한다는 게 좋았다. 그리고 좋은 성품의 한국인 쉐프가 그를 적극적으로 도왔다. 대부분 우크라이나인으로 구성된 직원들도 친절했다. 그는 행복했다. 그러자 그는 몰라보게 건강한 예전의 모습으로 돌아왔다. 그는 쭉 이렇게 살고 싶었다.

하지만 끝이 보였다. 공장 건설이 끝나가고 있었다. 우리 식당을 이용하던 150명에 달하던 건설 인력이 어느새 절반으로 줄었다. 그에 맞추어 식당 직원들도 절반이나 감소했다. 남봉근은 조만간 자신도 잘리게 될 것을 직감했다. 그는 한국에 돌아가고 싶지 않았다. 향후 대책이 필요했다. 그때, 30년 경력의 쉐프가 그에게 제안했다.

"봉근 씨, 이 세상 사람들이 모두 좋아하는 단 하나의 음식이 뭔 줄 알아요?"

"단 하나의 음식요?"

"네, 그건 튀김입니다. 튀김 싫어하는 민족은 없어요. 그러니 여기서 장사를 하려면 튀김집을 하세요."

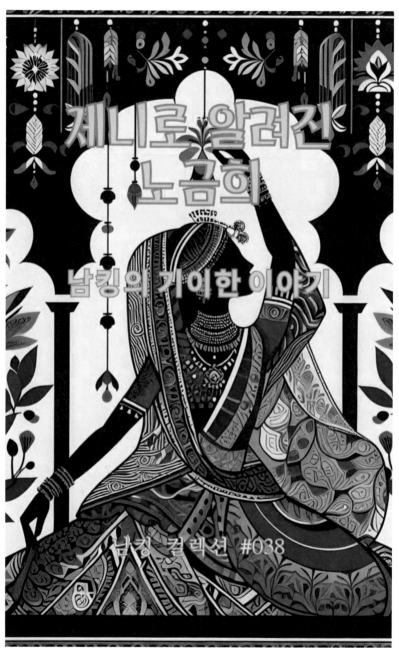

지니로 알려진
노금희

남킹의 기이한 이야기

남킹 컬렉션 #038

죽음의 도시

남킹 SF 이야기

남킹 컬렉션 #037

착한 남봉근 사장의 슬픔 #2

그는 쉐프의 조언대로 네덜란드의 암스테르담으로 날아갔다. 그곳 중앙역 근처 담락 거리에 있는 감자튀김 맛집 마네켄피스(MannekenPis)를 직접 구경했다. 과연 소문대로 관광객들이 작은 매장 앞에 길게 줄을 서 있었다. 품목은 단 하나, 감자튀김 포장 판매. 하지만 소스는 수십 가지가 준비되어 있었다.

"여기 유럽인들은 자신만의 소스를 늘 고집합니다."

브로츠와프로 돌아온 그는 쉐프와 함께 소스 개발에 착수했다. 그리고 한국에서 인기 있는 각종 튀김을 연구했다.

몇 달 뒤 그는, 저축한 돈을 몽땅 털어, 브로츠와프 시내 중심가에 포장 판매 튀김 전문점을 개점했다. 예쁘고 날씬한 우크라이나 여직원을 두 명 고용하여 댄스 음악에 맞추어 몸을 흔들며 다양한 한국식 튀김을 즉석에서 데워 소스와 함께 제공했다. 결과는 대박이었다. 불티나게 튀김이 팔렸다.

소문은 삽시간에 유럽 한인 사회에 번졌다. 투자자들이 몰려들고 프랜차이즈 제안이 쏟아졌다. 하지만 그는 초심을 잃지 않기 위하여

직영점만 고집했다. 음식의 품질과 서비스를 깐깐하게 체크하고 직원들의 복지와 교육에 힘을 쏟았다. 일 년 사이 직영점은 스무 개로 늘어났다. 그는 매일 매장한 곳씩 방문하여 모든 것을 꼼꼼하게 챙겼다. 특히 직원들의 복지에 귀를 기울었다.

고국을 떠나 폴란드에서 일하는 우크라이나 여인들의 상당수는 소녀 가장이었다. 고향에 부양할 자식 혹은 형제, 부모들이 있었다. 마치 우리나라 70년대 상황과 비슷했다. 착한 남봉근 사장은 그들의 어려움에 귀 기울이고 적극적으로 도왔다. 그러므로 직원들 사이에 돌싱 사장의 인기는 하늘 높은 줄 모르고 올라갔다.

이때쯤 그의 즐거움 중 하나는 직원들에게 저녁을 대접하는 거였다. 남봉근은, 그날 방문한 매장이 클로즈하면, 근처 좋은 식당으로 그들을 초빙하여 제법 값비싼 음식을 제공했다. 왜냐하면 직원들 대부분이 싸구려 패스트 푸드로 끼니를 때우는 경우가 많았기 때문이었다. 돌이켜보면 그때가 남봉근에게 가장 행복한 순간이었다. 모두에게 사랑받고 모두를 가감없이 사랑한 시기였다.

사업이 번창함에 따라 덩달아 인기를 끈 게 있으니 바로 한국 남자였다. 안 그래도 K-팝과 K-드라마로 한국에 대한 호감이 치솟던 시기에 좋은 한국인 사장 밑에서 근무하다 보니 우크라이나 직원들에게 한국 남자는 최고의 신랑감이었다. 선한 남봉근이 이를 보고 그냥 있을 수는 없었다.

그는 우선 우크라이나의 현실을 파악하고자 주요 도시를 여행했다. 키이우, 도네츠크, 드니프로, 하르키우, 리비우, 오데사, 자포리자를 차례로 방문하여 유심히 그들의 삶을 살폈다. 그가 방문한 시기는 아직 전쟁 전이었으므로 도시는 평화로웠다. 하지만 거리의 모습은 우리나라 70년대와 흡사했다. 낡은 차와 버스, 전철이 돌아다녔고 건물은 허름하기 이를 데 없었다. 팍팍한 그들의 삶이 피부에 와닿았다. 그리고 식당을 둘러보았다.

죽이고 싶지만
섹스는 하고 싶어

남킹 범죄 소설집

남킹 컬렉션 #036

남킹 장편소설 미리보기

스네이크 아일랜드

파벨 예언서

그레고리 흘라디의 묘한 죽음

신의 땅 심해 물의 꽃

거짓과 상상 혹은 죄와 벌

천일의 여황제

이방인

남킹 컬렉션 #035

착한 남봉근 사장의 슬픔 #3

그들의 식탁에는 어김없이 보드카와 콜라, 고기가 놓여 있었다. 우크라이나도 러시아처럼 보드카의 나라였다. 독한 술은 기대 수명을 대폭 낮추었다. 특히 남자는 60대를 넘기기가 힘들었다. 그러니 여성의 비율이 높을 수밖에 없다. 가난한 여초 나라. 그러니 여자가 집안을 책임지는 경우가 높았다. 그녀들의 삶이 더욱 고단할 수밖에 없는 까닭이었다.

여행에서 돌아온 남봉근은 결심을 굳히고 곧바로 한국으로 향했다. 그는 신뢰할 수 있는 국제결혼 정보 업체와 계약을 맺고 한국의 예비 신랑 중, 나이는 많지만 성실하고 착한 사람 위주로 선발해 폴란드로 초청했다. 그리고 그는 우선, 회사 직원 중 국제 결혼 신청자를 받았다. 대부분 여직원이 손을 들었다.

결과는 매우 만족이었다. 90%가 넘는 성사율을 나타냈다. 이에 고무된 남봉근은 폴란드에 국제결혼 정보 회사를 정식으로 발족했다. 소문은 삽시간에 유럽 전역으로 번졌다. 특히 폴란드 인근 동유럽 국가 출신 여성들의 뜨거운 호응을 얻었다. 하지만 그는 신중하게 여성들을 선별했다. 미모보다 인성을 가장 중요한 요소로 보았다.

당연한 얘기겠지만, **남자와 여자는 대립의 대상이 아니라 사랑의 관**

계이므로, 인간을 인간답게 만드는 사회는, 포용과 용서, 너그러움과 따스함을 보편타당한 가치로 지녀야 한다는 점을 그는 무엇보다도 잘 알고 있었다.

남봉근 사장의 국제결혼 회사 소식은 한국에도 삽시간에 퍼져나갔다. 가뜩이나 수조 원을 쏟아붓고도 출산율 0.7로 고민하던 정부는 쌍수를 들고 환영하는 지경이었다. 그리하여 남봉근 사장의 인기는 국내외를 막론하고 나날이 치솟았다.

하지만 빛이 밝으면 그림자 또한 짙어지는 법. 한국 남자의 국제결혼에 못마땅한 심기를 드러내던 일부 극단 페미니스트 커뮤니티가 몇몇 편향적인 언론과 손잡고 남봉근 사장을 깎아내리기 시작했다. 그 처음은 한 우크라이나 신부가 결혼 한 달 만에 잠적한 사건이 발생하고부터였다. 이를 기다렸다는 듯이 각종 커뮤니티에 <영악한 우크라이나 여자와 멍청한 한국 남자>를 싸잡아 비난하는 글들이 우후죽순으로 올라왔다.

그리고 그 불씨는 남봉근 사장의 인스타그램으로 번졌다. 그의 사진들. 매일 저녁 고급 레스토랑에서 다정한 모습으로 직원과 찍은 그 사진들. 그는 어느새 비싼 밥 사주고 불쌍한 우크라이나 여직원을 꼬드겨 온갖 추잡한 짓을 일삼는 "난봉꾼"으로 변했다.

착한 남봉근 사장은 어쩔 수 없이 인스타그램을 삭제했다. 그리고
그는 살기 위해 다시 한국을 떠났다.

시시포스

브런치 스토리

남킹 소설집

남킹 컬렉션 #034

눈물이 당신의 볼을 타고

브런치 스토리

남킹 컬렉션 #033

쾌락

범죄자의 어린 시절은 불행한 편이다. 어떻게 아냐고? 보고 배웠다.

나는 다큐멘터리를 즐겨 본다. 처음에는 BBC가 선사하는 동물의 왕국을 즐겨봤다. 그러다 점점 범죄 쪽으로 넘어갔다. 그곳에 등장하는 범법자들은 하나같이 어린 시절, 부모나 형제들에게 학대당했다고 진술했다. 그런 의미에서 나는 좀 특이하다고 해야겠다. 왜냐하면 나는 외아들에 장남으로 태어나 부모의 사랑을 듬뿍 받으며 자랐기 때문이다.

물론 아주 문제가 없었던 것은 아니었다. 아버지는 과도한 로맨티시스트였다. 게다가 그에 걸맞게 수려한 외모와 출중한 허우대, 번지르르한 말발을 타고났다. 아버지의 직업 또한 그분의 <바람기>에 이보다 더 좋을 수가 없었으니, 이름하여 <해외바이어>. 하늘을 내 집 삼아 그분의 발길이 닿은 곳이면 어김없이 <하오의 정사>가 펼쳐졌다.

어머니가 폭발한 것은 내가 고등학교에 막 입학한 때였다. 별거가 시작되고 곧 이혼 소송이 진행되었다. 재산 분할이나 위자료는 원만하게 끝났다. 내 여동생들의 양육권도 어머니에게 돌아갔다. 문제는 나였다. 나는 아버지를 선택했다. 어머니는 적지 않은 충격을 받았다. 어찌 보면 남편에게 당한 배신보다 더 큰 아픔이었다.

나는 초등학교 시절 남들보다 똑똑했다. 적은 노력으로 반에서 늘 1, 2등을 다투었다. 그러므로 나는 어머니의 명품이었다. 남편의 빈 자리를 잘 난 아들이 메꾸었다. 어머니의 사랑은 온전히 나의 몫이었다. 그러므로 나는 실망한 어머니를 설득하기 위해 착한 거짓말을 했다.

"이사할 필요도 없고 학교를 옮기지 않아도 되고, 대학생이 되면 독립할 생각이에요. 그러니 내게 양육권은 의미가 없어요. 너무 심각하게 받아들이지 마세요. 엄마."

내가 아버지를 선택한 속셈은 따로 있었다. 어머니가 표현하는 사랑의 방식은 지나친 관심이었다. 솔직히 나는 어머니의 간섭에서 벗어나고 싶었다. 게다가 아버지는 대부분 해외에 머물렀다. 그러므로 나는 텅 빈 집에서 온전히 나만의 자유를 만끽할 수 있었다. 내가 무슨 짓을 해도 모든 게 허용되는 나만의 공간. 주변을 둘러보지 않아도 되고, 오로지 나의 관심에만 몰입할 수 있는 상태. 나는 그게 꼭 필요했다. 왜냐하면 그즈음 나는 해킹에 푹 빠져 있었기 때문이었다.

처음은, 다른 이들과 마찬가지로 단순한 호기심에서 시작하였다. 우연히 접한 해외 단신.

'해커 집단 노바디(Nobody)의 일원인 16세 데이브는 미 항공우주국(NASA)을 해킹해 수백만 달러 가치의 소프트웨어를 훔친 혐의로 청소년에게는 과한 징역 6개월 형을 언도받았다. 그가 해킹한 이유는 단지 쾌감을 느끼기 위해서였다.'

내가 주목한 것은 <쾌감>이었다. 즉, 인간의 심리적 상태에 관심을 두었다. 누군가 할 수 없는 것을 나는 할 수 있다는 <우월감>. 소심한 너희들이 겁내는 것을 나는 대범하게 할 수 있다는 <자만감>. 금지하고 숨기고 억압하면 할수록 더욱 하고 싶어지는 인간의 본능적인 <반항>.

마치 미국의 악명높은 <금주법>과 같았다. 법으로 술을 마시지 못하게 하니까 사람들은 오히려 술에 더 집착해 마셨다. 이것은 또한, 금단의 열매, 선악과와도 같은 거였다.

'이 동산에 있는 나무 열매는 무엇이든지 마음대로 따먹어라. 그러나 선과 악을 알게 하는 나무 열매만은 따 먹지 마라.'

이 말은 인간에게 <꼭 따 먹어라!>는 명령과 하등 다를 바 없다. 인간은 원래 그렇게 태어난 존재다. 본능적으로 자유나 누림에 대한 억압, 반항, 거절을 품고 있다. 단지 사회의 법이나 관습, 도덕 같은…. 인간이 같이 살기 위해 마련한 규칙 같은 것에 얽매어, 시도하지 않는 인간과 그런 것에 그다지 개의치 않는, 나 같은 부류가 있을 뿐이다.

학교에서 돌아오면 나는 늘 컵라면 한 개에 뜨거운 물을 붓고 책상에 앉아 PC를 켜고 모니터를 주시했다. 그리고 시선을 화면에 고정한 채, 라면을 허겁지겁 입에 쑤셔 넣었다.

나는 늘 이 순간을 기다렸다. 나는 느낀다. 나의 몸이 움직이기 시작한다는 것을. 나의 뇌에 산소와 포도당 공급이 촉진되고 심박수와 일회박출량이 늘어난다. 동공이 넓어지고 혈당 수준이 오른다. 신경 세포가 예민해지고 손 마디마디 근육이 민감하게 반응하기 시작한다. 그리고 나를 몰입과 쾌락으로 몰아넣는 고마운 녀석이 나타난다. 도파민. 나는 도파민 중독자이다. 어쩌면 이것은 유전일지도 모른다.

즉, 아버지도 나와 같은 중독 환자일 것이다. 단지 종목이 다르다는 것일 뿐.

내 삶의 궁극적 목적. 해킹의 목표는 도파민 분비 촉진이었다. 아버지의 섹스처럼.

거짓과 상상

혹은

죄와 벌

남킹 장편소설

남킹 컬렉션 #002

신의 땅 물의 꽃

낭킹 장편소설

낭킹 컬렉션 #003

제니로 알려진 노금희 #1

친애하는 검사님.

우선, 당신의 소환에 불응한 점에 대해 깊은 사과를 드립니다. 하지만 저의 행동이, 당신이 부여한 여러 가지 조치에 대한, 불만에서 비롯한 반항이거나 혹은 제가 끔찍이도 싫어하는, 권력이라는 환각에 빠져, 당신을 무시하는 것은 절대 아님을 알아주시기를 바랍니다. 제가 행한 결단의 이면에는, 제 삶의 전반을 아우르는 사건과 사고가 우연히 내던져진 결과로서의 혼란에 기인한다는 점을 분명히 밝히고자 합니다. 그러므로 저는 단지 매듭을 짓고 마무리를 할 수 있는 시간이 좀 더 필요할 뿐입니다. 법을 어길 생각은 추호도 없으며 때가 되면 자진하여 찾도록 할 것입니다. 어쩌면 제가 드리는 이 편지가 바로 저의 결심이자 검사님께 드리는 약속이라고 부디 편하게 판단하시면 감사하겠습니다.

저는 지금 여러 번 기차를 갈아타고 몇 나라를 거쳐 제가 소망하는 목적지에 다다르기 직전에 있습니다. 이곳은 제가 젊음과 열정, 순수함과 광기를 태우던 곳으로, 어쩌면 검사님의 수사 보고서에 적혀 있는 데로, 제가 철학을 공부하던 독일의 중서부 지역의 한 곳입니다. 하지만 저의 편지를 검사님이 받을 때쯤에는, 저는 아마 폴란드를 거쳐 우크라이나 쪽으로 차를 몰고 있을지 모르겠습니다. 아니면 폴란드 국경에서 서성이며 우크라이나에서 불어오는 바람 냄새를 맡고 있을 수도 있습니다. 여전히 전쟁 중이고 국경이 외국인들에게

폐쇄된 상태라면 말입니다.

아마 검사님은 제 여행 루틴에 약간의 의구심이 들 것입니다. 유학을 한 곳이라면 당연히 그때의 설렘과 낭만, 추억을 찾아, 일종의 버킷리스트로 방문함이 타당하지만, 어떤 연고도 없고 게다가 전쟁 중인 우크라이나로 굳이 가려는 의지에는 도대체 어떤 연유가 숨어 있을까 하는 것입니다. 그 이유는 제니아라는 여인 때문입니다.

저는 그녀를 사랑했고 지금도 제 인생 최고의 순간은 그녀와 보낸 3개월이라고 확신을 하고 있습니다. 그녀는 여느 우크라이나 여인과 다름없이, 고향에 두고 온 가족들을 부양해야만 했기에 무척 힘든 삶을 살았고 앞으로도 나아질 기미가 전혀 보이지 않는 막다른 인생이었습니다. 하지만 그녀는 때가 끼지 않은 순수한 사람이었습니다.

자신이 과하게 받는 것 혹은 동정심에 비롯된 것이라면 언제나 불편해하고 늘 돌려주는 것에 관심을 가졌습니다. 그리고 동유럽 여인 특유의 낙관적인 성격으로, 즐거움을 표하고 아픔을 위로할 줄 알았습니다. 그녀에 대해서는 며칠 밤낮을 들려드려도 끝나지 않겠지만 저는 여기서 간단하게 줄이도록 하겠습니다. 당연하게도 그녀는, 지금 검사님이 궁금해하는, 저와 얽힌 사건과 전혀 관련이 없기 때문이기도 하려니와 제 가슴을 누군가에게 표현한다는 자체가 저에게는 무척 부끄러운 일입니다.

다만, 한가지 말씀드릴 수 있는 것은, 오랜 시간 동안 백방으로 찾고는 있지만, 아직 그녀의 생사는 확인이 되지 않고 있습니다. 그러므로 설령 제가 우크라이나에 가더라도 그녀를 만날 확률은 극히 희박하다는 것입니다. 그저 그리움이 저를 그곳으로 이끈다고 생각하시면 되겠습니다. 혹은 전설 속 <운명의 붉은 실>처럼, 보이지 않지만 분명 서로에게 묶여 있는 끈을 따라 기적같이 만나는 환상을 꿈꾸는 것인지도 모르겠습니다.

심해

남킹 장편소설

남킹 컬렉션 #004

제니로 알려진 노금희 #2

검사님이 궁금해하시는 부분은 저의 또 다른 여인, 제니로 알려진 노금희에 대한 부분일 것입니다. 혹은 노정아, 노애린, 노정심으로 여러번의 개명을 한 바로 그 여인과 제가 어떻게 얽혀서 작금의 상황까지 번지게 되었는가 하는 것일 겁니다. 그동안 언론과 방송, 각종 SNS에서 숱하게 회자한 만큼 - 비록 그 소식들이 사실과 거짓, 상상과 추측들이 마구 섞인 상태지만 - 그녀에 대해서 일반인들이 판단하는 그대로 그녀는 좀 이상했습니다. 그녀를 처음 알게 된 것 또한 이상하였습니다.

유학을 막 끝내고 모 대학에서 시간강사로 철학을 강의하던 시기였습니다. 저는 그때 힌두교와 불교 철학을 거쳐 칸트와 쇼펜하우어에게 심취되어 있었습니다. 쇼펜하우어에 따르면, 우리는 본능적으로 자신의 의지대로 하고 그 이후에 자기 행동을 논리적인 것으로 합리화하는 작업을 한다고 했습니다. 어쩌면 그것을 대표하는 행위가 바로 노금희와의 관계일 것입니다. 그건 검사님도 두말없이 인정하는 부분이 맞습니다.

제 삶은, 유년기의 심한 우울증에서 시작하여 작금에 이르기까지 아직도 치유되지 않은 고통과 불행의 시간이 저를 휘두릅니다. 그러므로 비록 교수라는 신분으로 사회의 일원이 되었지만, 외적인 통제, 즉 법, 도덕, 규율, 양심 같은 행동 양식을 그다지 신경 쓰지 않았고, - 사실 내적인 괴로움으로 다른 것에는 별 관심을 둘 여유가 없었던 것 - 그날 그 자리, 즉 저의 지도교수이자 전 장관이었던 분의 초청으로 고급 술집에 초청받아 갔으며, 제니라는 예명을 사용하는 노금희를 만난 것도 사실입니다.

그녀에 대한 첫 느낌은 한 마디로 깡통이었습니다. 네, 비었다고 하는 게 정확한 표현일 것입니다. 쾌활하나 뭔가 어두운 구석이 있고 예의 바르나 다분히 권력 지향적이고 예쁘게 꾸몄지만 어딘지 모르게 인위적인 부조화를 느꼈습니다. 하지만 무엇보다 저를 관심 짓게 만든 부분은 그녀의 놀라운 탐욕이었습니다. 나중에 안 사실이지만, 돈과 권력에 대한 욕심은 그녀 집안 전체를 아우르는 지향점이기도 하였습니다.

아마 이 부분에 있어서 검사님은 의아해하실 것입니다. 삶의 내면적 깊이를 다루는 철학 교수가 어떻게 그런 부류의 인간과 연인이 될 수가 있는 것인지? 정확히 하자면 저는 노금희를 사랑한 적은 한순간도 없습니다. 제가 말씀드렸듯이 저의 사랑은 이미 제니아에서 끝을 맺었습니다. 제가 노금희를 가까이한 이유는 절대적인 호기심이었습니다. 어쩌면 양극단에 존재하는 개체에 대해 끌림이었다고 해도 무방할 것입니다. 또 한 가지를 굳이 들먹이자면 성적 욕구 해소였다고 봐도 될 것입니다.

저는 틈만 나면 그녀의 아파트에서 육체적 향연과 함께 그녀의 일거

수일투족의 가벼움을 끝없이 관찰했습니다. 그녀는, 걸치는 모든 것을 명품으로 발랐고 그녀가 방문하는 모든 곳은 사치와 향락으로 버무리곤 하였습니다. 그녀가 만나는 이들은, 또한 그녀와 똑같은 가볍기 그지없는 깡통 인간들이었습니다. 즉, 정치 검사, 철새 정치인, 사기꾼 사업가, 조폭들이었습니다.

여기서 검사님은 아마 이상한 점 하나를 발견하였을 것입니다. 어떻게 그런 여자가 저와 오랜 시간 얽힐 수 있냐는 것일 겁니다. 그것도 마치 연인처럼…. 그녀와 저를 엮게 만든 것은 다름 아닌 마리화나입니다. 저는 유학 시절 극심한 우울증을 털기 위해 마리화나에 중독된 상태였습니다. 그리고 그녀도 마찬가지였습니다. 그러므로 우리가 함께한 공통분모는 섹스와 마약이었습니다. 그러므로 제가 그녀의 석, 박사 학위 논문 표절에 가담한 것은 어쩌면 당연한 절차였다고 해도 무방합니다. 정확히 말하자면 그녀의 논문 대부분은 제가 짜깁기해서 만든 것입니다. 그녀가 대학 강단에 서게 한 것도 저의 도움이 컸습니다. 물론 결정적인 것은 - 그녀가 조교수가 될 수 있었던 것 - 대학 고위 관계자들에게 바친 뇌물과 성 접대일 것입니다. 네, 맞습니다. 검사님이 느끼신 데로 작금의 대학은 심하게 부패했습니다. 저는 캠퍼스에서 늘 같은 환멸을 느꼈습니다. 저를 포함하여, 참을 수 없이 가벼운 인간들의 집합체였습니다.

하지만 노금희와의 동거 아닌 동거가 끝을 맺게 된 것은 그녀가 한 정치 검사의 아내가 되면서부터입니다. 바로 검사님의 동기이자 출세 지향 인간의 전형을 보여주던 바로 그분이 남편입니다. 탐욕 인간이 권력마저 갖추자 그녀의 욕망은 더욱 대담하고 뻔뻔스러워졌습니다. 수단과 방법을 가리지 않고 돈을 빨아들였습니다. 바로 검사님이 파악한 17가지의 사기 행각이 바로 이 시점에 벌어진 일이었습니다. 그리고 이 지점부터 그녀의 얼굴은 더욱 대담하게 성형으로 바뀌어 갔습니다. 현대 의학의 결정체라고 봐도 무방합니다.

그러므로 제니로 알려진 노금희는 이제 투명 인간에 가까워졌습니다. 속은 완전히 비었고 겉은 탐욕으로 뭉쳐진 현대인의 아이콘과도 같습니다. 그녀는 더 이상 인간의 가치를 지니고 있지 않습니다. 그녀는 어쩌면 제가 느끼는 삶의 고통과 번뇌를 형상화한 인조인간일 것입니다. 저는 그래서 불행한 시대의 패배자일 뿐입니다.

검사님. 목적하는 기차역에 거의 도착했습니다. 그럼 어느 특정한 날에 다시 뵙기를 기원합니다. 감사합니다.

파벨 예언서

떠오르는 위협

남킹 장편소설

남킹 컬렉션 #008

리셋
Reset

남 킹 SF 소설집

남 킹 컬렉션 #010

얼굴 없는 여자 #1

윤미리

"성명과 나이는 어떻게 되나요?"

"안미자. 29세입니다."

"피해자 김지영과 어떤 관계인가요?"

"중학교, 고등학교, 대학교 친구입니다."

"김지영 씨는 어떤 사람입니까?"

"매우 사악한 여자입니다. 내 친구지만 언젠가 이런 날이 올 줄 알았습니다."

"학창 시절 유명했나요?"

"아뇨, 정반대입니다. 정말이지 대학 가기 전까지 저는 지영이가 이런 애 일 거라고는 상상도 못 했습니다. 말 없는 외톨이였으니까요. 제가 유일한 친구입니다. 그냥 돈에 대해서 민감하다는 것 빼고는 그야말로 공부만 하는 애였습니다."

"돈에 민감하다면…. 가난했나요?"

"웬걸요. 어마어마한 부잣집 외동딸입니다. 그녀의 할아버지가 친일파로 막대한 부를 축적했거든요. 태평양 전쟁 때 일본에 국방헌금을 가장 많이 내 자였어요. 그래서 감수포장(紺綬褒章) 상까지 받았다고 제게 자랑하곤 했어요."

"친일한 것을 자랑했다고요?"

"네. 지영이는 뭐랄까…. 그런 역사의식이 좀 결여된 것 같았어요. 사실 그 집안사람들이 좀 그랬던 것 같아요."

"어떤 근거로 그런 생각을 하게 되었나요?"

"지영이 집에 놀러 간 적이 있었어요. 그런데 이상했어요. 집안 곳곳에 일본 문화가 눈에 띄었어요. 심지어 일장기도 있었어요. 그런데 더 가관인 것은, 그런 것을 은근히 자랑하는 것처럼 보였어요. 지영이 부모 말이에요."

"특이하군요."

"네. 특이했어요. 부끄러운 것을 모른다고 해야 하나, 아니면 다른 이의 시선에는 관심이 없다고나 해야 하나…."

"그 외에 다른 특이점은 없었나요?"

"식사 때 줄곧 돈 이야기만 하였어요."

"누가요?"

"모두가요. 아버지는 주식, 어머니는 부동산, 지영이와 동생은 용돈 타령을 했어요."

"김지영 씨는 용돈이 많았나요?"

"아뇨, 중산층인 저보다 더 적었어요. 제가 말했잖아요. 지영이는 돈에 민감하다고. 그러니 늘 거짓말로 돈을 타내곤 했어요. 뭐 교재비, 학원비, 학용품비 등등"

"그럼, 그때부터 피해자는 상습적인 거짓말을 한 거군요?"

"뭐, 딱히 그렇다고는 할 수 없어요. 알잖아요? 학창 시절… 늘 돈이 고프죠. 그리고 한두 번 정도는 부모 속여 삥땅하곤 하잖아요."

"김지영 씨가 사악하다고 느낀 계기가 있나요?"

"순전히 그 영화 때문이에요."

"영화?"

"네. 맘마미아. 대학 입학 후 지영이와 함께 보러 갔었어요."

"어떤 내용이길래?"

"그냥 춤과 노래, 사랑이 나오는 영화에요. 아름다운 에게해에서요. 하지만…."

"하지만?"

"지영이는 나 몰래 그 영화를 다섯 번이나 더 봤다고 하더군요. 완전히 빠진 거죠. 처음엔 외모만 바뀌었어요."

"어떻게 달라졌나요?"

"귀밑과 손등에 손톱만 한 문신을 새겼어요. 사실, 얼굴 없는 지영이를 대번에 알아본 것도 시신의 손등에 난 문신을 봤거든요. 아무튼 7개의 귀걸이를 하고 하얀 이어폰으로 귓구멍을 틀어막더군요. 보온용 옷은, 최소한의 가림 용으로 빠르게 바뀌었고요. 구두 굽은 올라가고 머리는 보라색으로 물들었죠. 테크노에 심취하고 호세쿠엘보 테킬라를 마시며 손등에 바른 소금을 핥기도 했어요."

"조신한 신입생은 아니었군요."

"그렇죠. 외모가 바뀌자 행동이 달라지더군요. 친구가 늘어나기 시작했어요. 그런데 모두 남자였어요. 그리고 그때부터 지영이의 본색이 드러나기 시작했어요. 돈에 대한 엄청난 집착 말이에요."

"예를 든다면?"

"뭐, 우리가 익히 뉴스나 그런 데서 접하는 그런 것들이에요. 돈 많고 순진한 남자 꾀어서 빨대 꽂아 쪽쪽 빨아 먹는 거죠. 빈 깡통 될 때까지 말이에요. 솔직히 저도 지영이 덕분에 사치로 범벅이 된 우리 도시의 아름다운 곳을 일찍 경험한 편이죠."

"그럼, 그녀에게 원한을 가질 만한 남자들이 있겠군요?"

"당연하죠. 그러다 그 사건이 터진 거예요. 학교를 떠들썩하게 만든."

"무슨 사건인가요?"

"도곡동 술집 화장실 강간 사건 들어보셨어요? 음…. 그러니까 이미 8년 전이네요."

"네. 들어는 본 것 같습니다. 구체적인 기억은 잘 안 나지만."

"제가 그때 그 자리에 있었거든요. 정황상 지영이가 쇼한 게 틀림없어요. 지금에 와서 하는 말이지만."

"어떤 일이 있었던 건가요?"

"사건은 아주 간단해요. 술이 많이 취한 석현이가 토하려고 화장실로 갔는데 지영이도 따라갔죠. 그런데 잠시 후 지영이가 화장실에서 울고불고 난리 블루스를 추더군요. 석현이가 자기를 강간하려고 했다고…. 어이가 없죠. 한마디로."

"왜 어이가 없다고 생각했나요?"

"순진한 석현이 꼬셔서 호텔에서 뒹군 것만 해도 수십 번이에요."

"그런데 왜 김지영 씨는 그를 강간으로?"

"뻔하죠. 단물 다 빨아먹고 버리려는데 껌딱지처럼 달라붙었으니 떼려고 한 수작이죠. 뭐. 게다가 다른 호구가 생겼거든요. 그러니 급한 거죠."

"그래서 어떻게 되었어요."

"지영이 뜻대로 모든 게 다 이루어졌죠. 석현이는 허겁지겁 군대로 도망가고 지영이는 입막음 조로 목돈까지 챙겼죠."

"학교를 떠들썩하게 했다고 하지 않았나요? 게다가 제가 어렴풋이

기억할 정도면 꽤 큰 사건 같은데…."

"사건은 그로부터 일 년 뒤에 터졌죠. 석현이가 전방초소 화장실에서 숨진 채 발견되었거든요. 유서를 남기고. 그런데 그 유서가 학내 대자보에 실렸어요. 거기에는 지영이가 석현이에게 한 온갖 악행이 낱낱이 기록되어 있었어요. 가장 친한 친구인 나도 모르는 사실이 부지기수였어요. 그때 전 깨달았죠. 지영이는 악마다."

"그래서 그 후 어떻게 되었나요?"

"감쪽같이 사라졌어요."

"김지영 씨가?"

"네. 저는 천만다행이라고 느꼈어요."

"이후 김지영 씨를 만난 적은 없나요?"

"네. 없어요. 지영이가 죽기 전까지는 요."

남킹 판타지 소설집

하니은 매화

남킹 컬렉션 #015

남킹 컬렉션 #017

스네이크 아·일랜드

1권

죽고 싶지만 복수는 하고 싶어

남킹 판타지 스릴러

얼굴 없는 여자 #2

김시성

"이름과 나이를 알려주세요."

"저는 김지성이고 나이는 스물일곱입니다."

"피해자 김지영과 어떤 관계인가요?"

"친동생입니다."

"누나 김지영 씨는 어떤 사람이었는가요?"

"예쁘고 따뜻하고 정이 무척 많았어요. 제 누이지만 최고의 성품을 가진 여인이었습니다. 이런 일이 생기리라고는 도저히 상상도 못 했습니다."

"김지영 씨의 학창 시절은 어떠했나요?"

"무척 활발했어요. 주변에 친구도 많았죠. 따라다니는 남학생들도 꽤 있었고요. 한마디로 학내 최고의 얼짱이었어요."

"김지영 씨가 돈에 민감했다고 하던데?"

"네. 그건 그럴 수밖에 없었어요. 부자지만 부모님이 무척 검손하셨거든요. 저도 그건 마찬가지예요. 돈을 함부로 낭비하지 않으려고 노력하는 편이죠."

"김지영 씨가 고등학생 때까지는 외톨이에, 친구는 딱 한 명밖에 없다는 진술이 있는데 어떻게 보시나요?"

"누가 그러던가요? 안미자가 그랬죠? 그 여자는 사탄이에요."

"안미자 씨에 대해서 알고 있군요?"

"네. 잘 알죠. 그 여자가 외톨이에다 왕따였어요. 늘 교실 구석에 처박혀 투명 인간으로 살았죠. 증거 목록으로 제출한 누나 일기장에 모든 게 적혀 있어요. 그러던 어느 날, 착한 우리 누나가 손을 내민 거예요. 보기 안쓰럽다고. 하지만 지나고 보니 우리 누이를 파멸로 이끈 바로 그 순간이었어요. 악마를 품고 말았으니…."

"그럼 안미자 씨의 유일한 친구가 김지영 씨가 되는 건가요?"

"그렇죠. 좀 전에 말씀드렸듯이 누나는 인기가 많았어요. 우리 집에
데려온 친구만 해도 수십 명은 될 거예요. 그중에 안미자도 끼어 있
었죠."

"그럼 그때 안미자 씨를 처음 본 건가요?"

"네. 그렇죠. 정말 이상한 여자였어요."

"어떤 점에서 그런가요?"

"집 구석구석을 끊임없이 훑어봤어요. 마치 살인 현장에 있는 강력
계 형사처럼 보였어요."

"집 안에 일본과 관련한 물건들이 많았다고 하던데?"

"누가 그러던가요? 아! 안미자가 그러던가요? 그랬을 거예요. 틀림
없이 그년이 그렇게 말했겠죠?"

"네. 친일파라고 하더군요."

"하하하. 웃음밖에 안 나오는군요. 정반대예요. 아시겠어요? 형사님.
저희 할아버지는 독립운동가입니다. 대한독립단과 상하이 대한민국
임시정부와 관계하면서 군자금 모집에 관한 증명서와 권총을 들고
부호 가를 돌면서 독립운동 자금을 징수하여 임시정부로 보낸 분입
니다. 결국 1922년 1월에 검거되어 징역 10년 형을 선고받고 옥고
까지 치렀고요."

"그런데 집안에 일장기가 걸려 있다고 하던데?"

"일장기가 아니라 일장기가 크게 그려져 있는 법정에 선 할아버지
의 사진을 본 거겠죠. 안미자는 그런 여자예요. 무식하고 질투에 사

로잡힌 년이었다고요. 모든 것이 완벽한 누나를 시기한 거예요. 한번 생각해보세요. 저희 누나는…. 이쁘고 똑똑하고 착하고 성실하죠. 그야말로 인기가 하늘을 찔렀단 말이에요. 게다가 뼈대 있는 독립운동가 집안이고요. 이건 뭐, 누가 봐도 질투를 느낄만하지 않습니까? 그러니 그 사악한 년이 은혜를 원수로 갚은 거란 말입니다."

"영화 맘마미아를 보고 누나가 많이 달라졌다고 하던데…. 사실인가요?"

"누가요? 제 누나가요? 천만에요. 맘마미아에 빠진 건 안미자 그년이었어요. 누나는 뭐랄까…. 그런 가볍고 다분히 십 대 취향 적인 로맨스 영화 따위에는 관심이 없어요. 오히려 그 반대죠. 삶을 관통하는 심오한 영화를 사랑했어요. 스탠리 큐브릭 감독 작품 마니아였죠."

"스탠리 큐브릭 감독?"

"네, 예를 들면 <2001 스페이스 오디세이>나 <아이즈 와이드 셧> 같은 작품들이죠. 누나의 일기장에 모든 게 쓰여있어요. 한번 읽어보세요. 모든 게 확연히 보입니다. 예술을 흠모하고 가벼움에 휘두르지 않는, 진지한 인생의 고뇌와 깊이를 느낄 수 있죠."

"누나가 문신을 한 게 그때쯤이라고 하던데? 그러니까 대학 시절…."

"순전히 안미자 때문이죠. 그년이 먼저 귀밑과 손등에 손톱만 한 문신을 새겼거든요. 게다가 7개의 귀걸이를 하고 하얀 이어폰으로 귓구멍을 틀어막았고요. 보온용 옷은, 최소한의 가림 용으로 빠르게 바꿨어요. 구두 굽은 올라가고 머리는 보라색으로 물들었죠. 테크노에 심취하고 호세쿠엘보 테킬라를 마시며 손등에 바른 소금을 핥기도 했어요. 그리고 순진한 우리 누나를 매일 꾀었어요."

"누나가 했다는 거에요? 아니면 안미자가 그랬다는 거에요?"

"둘 다요. 안미자의 끝없는 강요에 누나도 어쩔 수 없이 했어요. 똑같이."

"두 사람이 특히 친했던 건가요?"

"일방적이었어요. 안미자가 제 불쌍한 누나를 항상 따라다녔죠. 착한 우리 누나는 어쩔 수 없이 받아들인 거고요."

"도곡동 술집 화장실 강간 사건 아시죠?"

"네. 잘 알죠. 제가 안미자를 사악한 인간으로 규정하는 결정적인 사건이었으니까요."

"어떻게 된 건가요?"

"석현 형이 술에 취해 제 누나를 화장실에서 강제로 키스를 한 거죠. 그리고 누나는 형을 이해했어요. 형이 군대 가기 직전이었거든요. 다분히 그럴 수 있다고 판단한 거죠. 그래서 그냥 조용히 넘어가려고 했어요. 그런데 안미자 그년이 경찰에 신고한 겁니다. 질투와 배신에 눈이 멀어서죠. 왜냐면 석현 형을 안미자가 짝사랑했거든요."

"그래서요?"

"누나는 애초에 고소할 생각이 없었어요. 그래서 원만하게 합의하였고 형은 그냥 군대 간 겁니다. 그런데 안미자가 끝없이 물고 늘어졌어요. 뭐, 언론에 이 사실을 뿌리겠다 학교와 군에 진정서를 제출하겠다 등등 갖은 모함과 협박이 이어졌죠. 그리고 결국 석현 형의 자살로 끝난 거고요."

"그 사건 이후에 누나가 사라졌다고 하던데?"

"그럴 수밖에 없었어요. 마치 우리 누나가 석현 형을 죽인 걸로 소문이 났거든요. 그때 저는 확신할 수 있었죠. 안미자는 사탄이다."

남킹 컬렉션 #018

천일의 여황제

세빈의 남자

남킹 판타지 소설

남킹-컬렉션 #019

이방인

남킹 장편소설

얼굴 없는 여자 #3

오선미

"이름과 나이를 알려주세요."

"조민식입니다. 스물아홉입니다."

"고인과 어떤 관계인가요?"

"전 남친입니다."

"언제 헤어졌나요?"

"작년에요."

"언제 처음 만났나요?"

"고등학교, 대학교 동창입니다. 그러니까 김지영은 고2 때 처음 알게 되었어요. 물론 일방적인 짝사랑이었습니다. 대학 3학년 때까지는…. 그러다 지영이가 도곡동 술집 사건으로 힘들어할 때 본격적으로 사귀게 되었습니다."

"왜 헤어졌나요?"

"음…. 뭐랄까…. 제가 들어갈 자리가 없었어요. 지영이의 마음에…."

"김지영 씨가 다른 사람을 사랑한 건가요?"

"그런 거는 아닙니다만…. 늘 껌딱지처럼 붙어 다니는 친구가 있었어요."

"안미자 말씀이군요?"

"네. 맞습니다."

"두 사람은 어떤 관계였나요?"

"한마디로 정의하자면 애증 관계였어요. 서로가 없으면 못 살 정도로 친한 것처럼 보이다가도 또 어떤 때는 서로가 죽일 듯이 싸우곤 했어요."

"한쪽이 일방적으로 쫓아다닌 거는 아니고요? 안미자가 김지영에게 집착했다는 얘기가 있던데…."

"처음엔 그랬죠. 안미자는 고등학교 때 거의 왕따 수준이었는데 지영이가 손을 내밀자 자연스레 따르기 시작했죠. 그러다 그게 점점 일방적인 집착으로 바뀌었고요. 하지만 어느 순간부터…. 그러니까 제가 본격적으로 사귈 때쯤에는 그 관계가 모호했어요. 뭐랄까…. 마치 두 사람이 하나가 되어 가는 듯한 느낌이었어요."

"하나가 된다고요?"

"네. 거의 모든 게 흡사했어요. 마치 쌍둥이처럼…. 저는 그것을 속죄와 양심으로 해석했어요."

"속죄와 양심?"

"네. 그 뿌리는 지영이의 할아버지로부터 시작하였어요."

"할아버지라면?"

"네. 악명높은 친일파였죠. 제가 지영이에게서 들은 이야기는 이렇습니다. 안미자의 할아버지는 장안에 손꼽히는 갑부였어요. 그리고 몰래 독립군 자금을 제공했어요. 그런데 어느 날 안미자 할아버지 하인 중 한 명이 그 사실을 밀고 했습니다."

"그 하인이 그러면?"

"네. 바로 지영이의 할아버지입니다. 그로부터 두 집안의 운명이 바뀐 거죠. 한쪽은 철저하게 파괴되어 지금까지 가난과 고통 속에 신음하는 반면, 한쪽은 해방 후에도 여전히 엄청난 부를 과시하게 되었죠."

"그러면 김지영은 속죄를 위하여 안미자와 가까워진 건가요?"

"그런 셈이죠."

"그럼 조민식 씨가 보기에, 안미자가 김지영을 죽였다고 생각하는 건가요? 앙심을 품고"

"누가 누구를 죽여요? 안미자가 김지영을?"

"네, 안미자가…."

"안미자가 죽은 게 아니었어요?"

"네? 그럴 리가요? 고인이 된 사람은 김지영이 확실합니다. 소지품에서 신분증이 나왔거든요."

"아뇨, 그렇지 않아요. 제가 조금 전에 말씀드렸잖아요. 하나가 되었다고…."

"하나가 되었다니…. 그게 무슨 말씀이신지?"

"저도 그게 그러니까…. 이상했어요…. 데이트 장소에 지영이 대신 안미자가 나오곤 했어요. 처음에는 구별되었어요. 두 사람이 비슷했지만, 아무튼 좀 달랐으니까…. 하지만 어느 순간부터 구별이 되지 않았어요. 누가 누군지…."

"아니 그게 가능한가요? 외모가 달랐을 텐데?"

"아뇨, 가능했어요. 서로서로 성형했어요. 외모와 체형, 분위기까지…. 마치 그들은 속죄와 앙심을 버무려 하나로 빚어지기를 원한 것 같았어요."

"그럼 당신이 보기에 저 얼굴 없는 여자 시신은?"

"누군지 모르겠어요. 하지만 둘이 육체적으로 완벽한 하나가 된 것은 확실합니다."

거리를
비워 두세요

남킹 컬렉션 #020

사랑 그 쓸쓸함
에 대하여

남킹 음악산문

남킹 컬렉션 #021

거미줄 #1

"성공의 배후에는 오로지 하나의 의지, 즉 가장 높은 다이빙대에서 장려하게 추락하려는 의지가 있을 뿐이다." <베르나르 베르베르 – 상상력 사전>

1.

"너 같은 녀석도 꼭 필요한 존재지. 사회악. 왜 그런 줄 알아?" 어느 날 교도소장이 나를 불렀다. 487일을 복역한 날이었다. 그리고 내일 출소가 예정되어 있었다.

"사회도 면역이 필요하거든. 항체 말이야. 너 같은 녀석들을 다루다 보면 그런 게 생겨나거든." 나는 가만히 듣고 있었다. 하긴 그 자리에서 내가 뭐라고 대답을 하겠는가? 하루만 지나면 평생 안 봐도 되는 인물한테.

"그러니 쓸모없는 인생이라고 자괴하지 않아도 된다는 말씀이야. 세상을 위한 거름. 뭐, 그런 운명을 타고난 거지. 말하자면." 그는 두꺼운 안경 너머로 미소를 띄웠다.

"나잇살이나 훔친 이 미욱한 늙은이가 자조하듯 쓴 글이네. 한 번쯤은 곱씹을 만할 거야. 받아두게." 그리고 내게 책을 건넸다.

출소 후, 나의 첫 행동은 쓰레기통을 찾는 거였다. 그리고 그 책을 버렸다. 물론 한 줄도 읽지 않았다. 책 표지만 어쩔 수 없이 봤다. 온화한 모습의 소장이 그려져 있다. <감옥으로부터의 명상> <김학수 저> 나는 끈적거리는 거미줄을 털어 내고 싶었다. 하지만 잘 안 되었다.

****

가끔은 하고 싶지 않은데 그냥 할 때가 있다. 고향에 내려왔다. 지겨운 햇빛과 바람이 넘쳤다. 바빠지고 싶은데 한가하게 놀았다. 소싯적에 놀던, 바닷물이 질척거리는 곳에 꾀바른 게를 찾아, 돌 틈을 뒤지고 다녔다. 팔랑스테르 같은 공동체에 살고 싶었지만 혼자 쓸쓸히 집을 지켰다. 뜨듯한 골방에, 안온한 요에 누워 종일 뒹굴고 싶은데, 거친 숨을 몰아쉬며 백록담을 내려다봤다. 그렇게, 어쩌면 내 인생 최고의 시간이 흘렀다.

어느 날 나는 이력서를 조작했다. 돈이 얼마 남지 않았다. 설익거나 뭉크러진 노지 감귤을 조심스레 까먹으며, 자기소개서를 그럴싸하게 꾸몄다. 신중하고 감사하는 태도를 늘 견지한다고 적었다. 친숙하고 늘 웃는 얼굴로 사람들의 곰을 받는다고도 덧붙였다. 끊임없는 욕구불만과 좌절과 같은, 익숙하게 내 곁을 감싸는 용어는 모두 감췄다. 성실함도 잊지 않고 기록했다. 완벽한 자기소개서. 훌륭한 거짓말이 끈적거리며 사방에 퍼졌다.

나이든 면접관은 나를 반갑게 맞았다. 그는 작은 나보다 더 작았다. 나의 소설을 흐뭇하게 읽고 믿음을 주었다. 그는 나의 거짓말을 통해 나를 안다고 믿었다. 나는, 그의 표정을 통해, 그가 나를 믿고 있다고 믿었다.

"컨시어지란 게, 어려운 거 하나도 없습니다." 그는 얄팍한 안경 너머로 미소를 띠웠다.

"친절하기만 하면 되는 거죠. 세상의 이치처럼 말이죠. 친절하면 뭐든지 통하는 세상 아닙니까?" 나는 진지하게 가만히 듣고 있었다. 하긴 뭐, 내가 그 자리에서 뭐라고 답하겠는가? 모두 옳은 말인데.

그의 말대로 골프장 컨시어지는 간단한 일이었다. 자동차 트렁크에서 골프 백을 꺼내거나 싣기만 하면 되었다. 물론, 달콤한 미소를 머금은 채 말이다. 세상에 이렇게나 간단한 일이 있다니! 나는 콧바람을 불며 즐거이 일했다. 차가 오면 달려나가고, 안 오면 '관계자 외출입 금지' 팻말이 붙은 자그마한 사무실에서 일회용 커피를 마셨다. 손님들은 몰려서 왔다. 바쁠 땐 아주 바쁘고 한가할 땐 아주 한

가했다. 그리고 비가 많이 오거나 바람이 아주 세차게 부는 날에는 손님이 뚝 끊어졌다. 그럴 때면 종일 책상에 앉아 하늘과 바람, 구름을 지켜봤다. 혹은 달팽이가 남긴 끈끈액 흔적을 눈으로 따라가거나, 노란 꽃의 개자리 정원을 무심히 쳐다보기도 했다. 무엇을 하던, 하루의 정해진 9시간은 무던히 흘러갔고, 나는 연명할 수 있는 적당한 양의 돈을 벌었다.

나의 직장 동료는 나보다 스무 살이나 많았다. 술을 아주 좋아한다는 것 외에는 무척 편안한 사람이었다. 즐거운 일을 함께한 이보다 고통을 함께 나눈 이들에게 더 큰 친근함을 느낀다고, 어디선가 들은 적이 있다. 웃기는 소리. 사람 나름이다. 친근함은 좋은 사람에게만 비롯된다. 그리고 나는 나쁜 사람이다. 나에게서 사람들은 불쾌감을 느낀다. 한마디로 <재수 없는 놈>이다. 나는 세상 어디에든 거미줄을 친다. 내게 걸리든 인간은 대체로 순박하고 착하다. 그리고 나는 영악하다.

우리는 매일 막걸리를 마셨다. 막걸리만 마셨다. 하루에 한 병, 두 병 혹은 세 병씩 마셨다. 얼마 지나지 않아 나는 그와 관계된 모든 것을 알게 되었다. 그는 스무 살에 일본으로 건너가 오십에 제주도로 돌아왔다. 일본인 아내와 함께. 자식은 없으며 애완견 다섯 마리를 키웠다. 그리고 좁고 낡은 빌라에 살았다. 아내는 박물관에 근무

하였다. 그의 말을 빌자면, 도내에서 가장 훌륭한 섹스 박물관이라고
하였다.

그는 나를 다정한 동생으로 여겼다. 나는 그를 좋은 먹잇감으로 생
각했다. 그는 검소하였다. 그는 마당이 있는 작은 주택에 살고자 했
다. 아내의 소원이었다. 그는 아주 조금씩 오랫동안 돈을 모으고 있
었다. 어느 날 나는 서울행 비행기에 몸을 실었다. 그의 꿈이 담긴
돈 가방을 지닌 채. 기내 화장실에서 용변을 본 나는, 끈적거리는 손
을 열심히 씻었다. 잘 씻기지 않았다.

길에 내리는 빗물

빗물

남 킹 소 설 집

남킹 컬렉션 #024

거미줄 #2

2.

"그냥 소박하게 현재에 살고 싶은 거야." 나는 그녀의 서글픈 눈동 자를 바라봤다.

"그냥 미래를 보지 말고, 뜬구름 같은 목표도 생각지 말고." 그녀는 애절한 표정으로 말을 이었다.

"하루하루가 평형한 상태로 사는 거 말이야." 약혼자는 내가 정치판 에 뛰어든 이듬해, 내 곁을 떠났다. 미국 유학에서 돌아오자마자 정 계로 뛰어든 건 당연한 거였다. 원래부터 정치인이 되고 싶었다. 즉, 남들보다 잘 먹고 잘사는 게 목표였다. 남들처럼.

기초는 잘 다져두었다. 훌륭한 학벌, 착한 외모, 수려한 말솜씨, 온화 한 미소. 나는 일찌감치 파악했다. 내용보다는 형식이 중요하고 겉치 레가 실속을 능가하는 세상을. 나는 유권자를 잘 읽고 있었다. 더는 정강 정책에 관심을 두지 않는다는 사실을. 더는 정직함에 기반을 두지 않는다는 사실을. 그들은 출신 지역, 학교, 생김새와 미소, 음 성, 옷맵시, 언론 노출, 당당한 자세, 재치 있는 언변 따위로 후보자 를 선택한다는 것을.

어느 날 나는 정치인들을 조사했다. 거름이 될 든든한 후원자가 필요했다. 아니 좀 더 정확히 표현하자면, 나의 허수아비. 나의 유학을 책임진 전 약혼자처럼. 나는 농수산물 도매시장에 버려진 단감을 주우어와 조심스레 깎아 먹으며, 자기소개서를 화려하게 꾸몄다. 미국 유학 시절, 모 주지사의 선거 캠프에서 대단한 역할을 했다고 자신을 치켜세웠다. 물론, 실제로 참가한 적은 없었다. 대신, 참가했던 동기들로부터 귀동냥은 열심히 듣고 다녔다.

끈기 있고 치열하게 세상을 마주한다고 적었다. 능숙하고 늘 믿음이 가는 얼굴로 유권자들을 설득할 수 있다고도 덧붙였다. 쉴 새 없는 감정 기복과 불만, 고통 같은, 나를 수식하고 규정짓는 단어들은 모두 없앴다. 우수한 학교 성적도 빠트리지 않고 적어 넣었다. 대단한 자기소개서. 전도 양양한, 새 나라의 젊은 일꾼. 멋진 공갈이 끈적거리며 나를 감쌌다.

거만한 국회의원은 나를 한 번 흘낏 보고는, 시선을 자기소개서에 두었다. 그는 영악한 나보다 더 영악해 보였다. 나의 부풀림을 감동 있게 읽었다고 하였다. 그는 나의 기만을 통해 나를 신뢰한다고 믿었다. 나는, 그의 표정을 통해, 그가 나의 버팀목으로 손색이 없음을 어림하여 헤아렸다.

"정치라는 게, 어려운 거 하나도 없어." 그는 두툼한 볼살을 흔들며 큰소리로 웃었다.

"그럴싸하기만 하면 되는 거야. 이게 세상의 이치야. 그럴싸하면 뭐든지 통하는 세상이니까. 그렇지?" 나는 확신에 찬 모습으로 고개를 끄덕였다. 하긴 뭐, 내가 그 자리에서 뭐라고 반박을 하겠는가? 불변의 진리인데.

그의 말대로 그를 보좌하는 일은 어렵지 않았다. 나는 정보와 관련된 일을 하였다. 불리한 정보는 감추고, 유리한 정보는 드러내는 일이었다. 정보의 통제. 정의는 간단하였다. 하지만 쉬운 듯 어렵고 어려운 듯 쉬웠다. 웹의 세상에 한 번 드러난 정보는 숨기기가 불가능하였다. 그래서 정보를 차단하지 않고 유사 정보를 창조하여 범람시키곤 하였다. 홍수처럼 쏟아져 나오는 무의미한 정보들 속에서 사람들은 정작 중요한 정보가 무엇인지 헷갈리기 마련이다.

요즈음은 졸작들의 과잉시대이다. 무엇이든 쉽게 만들고, 그리고, 작곡하고, 창조하고, 글을 쓰고, 꾸며서 세상에 내보낼 수 있다. 유사하게 만들기는 더욱 쉽다. 수많은 베낌 속에 독창은 사라지고 비평은 무엇을 봐야 할지 갈피를 못 잡고 있다. 나는 짜깁기의 대가였다. 필요한 지식은 검색하면 쉽사리 나왔다. 이곳저곳의 기사를 가져와, 비근한 예를 들고, 적당히 버무리고 살짝 비틀어서, 사건의 맥락을 잇대고, 그럴싸하게 보이게만 하면 그만이었다. 대중을 현혹하는 혼탁한 거미줄 세상. 나는 명민한 통찰력을 지닌 창조자였다.

나는 기사를 올릴 때마다 신나게 외쳤다. "아브라카다브라 <말한 대로 될지어다>" 난 속임이 주는 가짜 세상에 위안을 얻었다. 그리고 만족한 나의 허수아비는 점점 나를 좋아했다. 나는 그의 뜨락에 꼭꼭 숨었다. 나는 아무도 나를 모른다는 사실을 마음껏 누렸다. 고개를 들어, 처마 밑, 어둡고 구석진 곳을 유심히 봐야만 보이는 나는, 칸살이 붙은 내 침대에 편안히 누워 지냈다. 급전직하한 정치 세계에 변함없이 총만 받는 어두운 그림자였다.

적어도 그 망할 놈의 기자 새끼가 절뚝거리며 집요하게 달라붙기 전까지는 말이다.
"야! 오랜만이다!" 녀석을 보는 순간, 잊었던 공포가 밀려왔다.

남킹 스토리

브런치 스토리

남킹 컬렉션 #029

버스 민폐녀

남킹 슬픈 이야기

남킹 컬렉션 #027

거미줄 #3

삶을 관통하는 이야기

3.

태풍이 몰려왔다. 수송기 부대 항공기 정비 특기인 나는, 내심 이런 날을 기다렸다. 왜냐하면, 궂은 날에는 일이 없기 때문이다. 우리는 최대한 많은 항공기를 격납고에 들여놓았고, 외부에 있는 비행기, 헬기, 관련 장비들은 모두 결박하였다. 찌는 듯한 더위가 사라졌다. 바람이 점점 거칠어지기 시작했다. 상쾌했다.

그런데, 갑자기 서늘함이 오싹하게 왔다. 집합이 떨어졌다. 7 내무반 상병 이하 모두. 장소는 행거(Hangar)안 C-123. 바로 우리가 매일 정비하는 수송기 안이다. 최악의 집합 장소다. 좌, 우측 도어와 후방 로딩 도어까지 모두 닫히고 나면, 그 속에서 어떤 참사가 벌어져도 바깥에 찍소리 하나 들리지 않는다. 비행기는 폐차 직전의 화물차보다 더 낡아 '과연 이런 게 뜨긴 뜨는 거야?' 할 정도지만 방음장치 하나 만은 완벽하였다.

사이코 윤 병장의 지시였다. 행거로 향하는 발걸음이 공포로 후들거렸다. 같이 걷고 있는 동기, 오 상병, 김 상병 얼굴에도 두려움이 무겁게 걸려있다. 삑 하고 행거의 조그만 철문을 열고 들어서자 넓은 공간에 덩그러니, 뚱뚱한 수송기 한 대가 놓여있다. 베트남 전쟁 당시, 고엽제 살포기로 악명을 떨쳤던 그 비행기다. 그리고 이젠 우리에게 또 다른 오명이 되었다.

윤 병장의 집합 장소는 그의 기분에 따라, 주로 세 군데로 나뉘었다. 내무반, 화장실, 비행기. 내무반에서는 비교적 가벼운 구타가 이루어졌다. 뺨을 때리던가, 흔히 '쪼인트 깐다'로 알려진 정강이 걷어차기, 젖꼭지 비틀기 등등. 그다지 큰 소음이 발생하지 않는 가벼운 형벌들이었다. 군에서의 구타 행위가 기본적으로 금지된 상황인지라, 가끔 깐깐한 당직사관에게 들키게 되면 문제가 될 수도 있기 때문이었다. 아무리 사이코라지만, 윤 병장도 내무반에서는 눈치를 보며 때렸다.

다음은 화장실. 정확하게는 외부 화장실 뒤편이다. 여기서는 주로 주먹과 군홧발, 몽둥이가 이용되었다. 강도는 강하지만 시간은 비교적 짧게 이루어졌다. 왜냐하면, 이곳에도 아주 가끔이지만, 부지런한 당직 사령관이 순찰을 돌 때가 있기 때문이었다. 들키면 빼도 박도 못하고 헌병대 영창에 보내질 수도 있었다. 상병 때 이미 영창 경험을 한 적이 있는 이 사이코는, 헌병대에 끌려가는 것을 엄청 두려워했다. 그래서인지 화장실 집합은 말이 떨어지기 무섭게 후다닥 해치우는 게 특징이었다.

그리고 비행기 안. 나는 자대배치 후, 일주일도 지나지 않아 맞닥뜨린, 비행기 집합의 공포를 아직도 생생하게 기억한다. 노란 전구. 수송기의 모든 문이 닫히면 흐릿한 노란 세상이 되었다. 세상의 모든 소리는 감춰지고 침묵 속에는 무한한 공포가 흘렀다. 그리고 시작된 상급자의 무차별 폭행. 군홧발이 여러 차례 가슴팍으로 날아들었다. 하지만 더 무서운 건, 맞는 순간, 쓰러지지 말아야 한다는 것이다.

다른 장소라면, 쓰러지는 게 충격 완화에 한결 도움이 된다. 그래서 소위 '짬밥이 어느 정도 된' 상병쯤 되면, 축구에서 말하는 '헐리웃 액션'의 대가가 된다. 살짝 스치기만 해도 멋있게 나뒹구는 거였다. 하지만 수송기 안은 좁고 딱딱하다. 내부는 온통 강철로 이루어졌다. 부드러운 카펫과 안락한 의자가 마련된 민간 여객기가 아니다. 쓰러져 어느 부위에 어떻게 부딪히더라도 그 통증은 상상을 초월한다. 그래서 맞더라도 이를 악물고 버텨야 한다. 그게 발이든 손이든 쇠파이프든 상관없이 말이다.

어둠 속에 두툼하고 기형적인 몸집의 윤병장이, 거친 이맛살을 잔뜩 찌푸리고는 들어왔다. 홱 쏠리는 서슬에 심장이 날카롭게 뛰기 시작했다. 바늘 끝처럼 날카로운 공포가 온몸을 찌르르 관통하며 내려갔다. 그는 천천히 그의 군화 끈을 조이기 시작했다. 후들거리는 다리에 서 있기조차 싫지 않았다. 나는 흐르지도 않는 땀이 눈에 든 듯, 계속해서 눈을 껌뻑거렸다. 윤병장의 찢어진 눈길이 내게 닿았다. 나는 서둘러 눈을 깔았다. 하지만 그가 계속해서 나를 쳐다보고 있다는 것을 느낄 수 있었다. 그 비열한 눈길이 나를 훑고 지나갔다. 아랫배 깊숙이 익숙한 공포가 찔러왔다.

구타가 시작되었다. 겁에 질린 목소리가 귀청을 따갑게 두드렸다.

침상에 피곤한 몸뚱이를 뉘자 가슴의 통증이 납덩이처럼 무겁게 누르기 시작했다. 군홧발로 적어도 열대는 맞은 것 같았다. 그나마 때리다 지친 녀석이 쇠파이프 들기를 포기한 게 다행이었다. 가슴 전체가 아주 골고루 쑤시고 결렸다. 하지만 육신의 고통은 아무것도 아니었다. 상실감조차 무뎌진 것 같은 비참함이었다. 게다가 저 정신병자 녀석과 앞으로 1년은 더 붙어살아야 한다는 점이있나. 정말 죽이고 싶을 만큼 미운 놈과 같은 침낭에서 살을 맞대고 해를 넘겨야 한다는 것이다. 정말 할 수만 있다면 시간의 바늘을 내 손으로 확 잡아당기고 싶었다. 앞으로 당길 수 없다면 차라리 거꾸로라도 돌리고 싶었다. 이 인간을 만나지 않아도 되는 수많은 경우의 순간으로 말이다.

지난 일 년은 정신없이 그럭저럭 버텨왔다. 하지만 앞으로도 과연 그럴 수 있을지? 점점 불안해졌다. 나 자신의 정신 상태를 신뢰하기가, 갈수록 까다로워지고 있었다. 나는 어쩌면 차츰 저 녀석과 닮아가고 있는지도 모르겠다. 부지불식간에 내가 꿈꿔왔던 내 삶을 송두리째, 한순간에 부숴버릴 것만 같았다. 그게 정말 두려웠다.

윤 병장과는 입대일이 불과 5개월 차이다. 더욱이 그는 나보다 4살이나 어렸다. 그는 대학 입학과 동시에, 나는 대학 졸업과 동시에 입대했다. 만약 내가 경제적 어려움으로, 한 학기 휴학하지 않았다면, 그는 나의 졸병 혹은 최소한 입대 동기가 되었을 것이다.

사실 입대는 나의 계획에 들어 있지 않았다. 나는 정치학 교수가 되고 싶었다. 나는 한국의 근, 현대사, 특히 이승만 정권 이후, 친일파들이 어떻게 이 나라를 망쳐놓았는가에 대한 강한 지적 호기심을 줄곧 느껴왔다. 나는 대학 입학 이후, 대학을 떠난다는 생각을 단 한 번도 해보지 않았다. 적어도 아버지가 거액의 부도를 내고 잠적하기 전까지는 말이다.

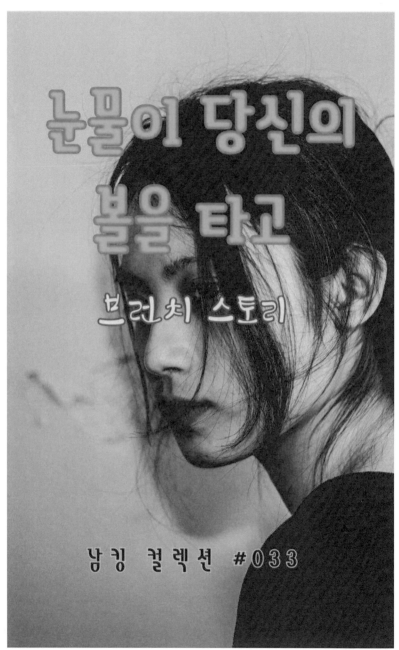

눈물이 당신의
볼을 타고

브런치 스토리

낭킹 컬렉션 #033

브런치 스토리

남킹 사랑 소설집

남킹 컬렉션 #028

거미줄 #4

4.

바람 소리가 점점 크게 들려왔다. 하필이면 오늘, 윤병장하고 같은 불침번 조가 되었다. 당직사관이, 오늘 밤 03시경에 태풍의 중심이 지나갈 것이라며, 특히 주의하라고 경고하였다.

녀석과 불침번을 서게 되면 여러 가지로 힘들었다. 담배를 넉넉하게 준비해야 하고, 고약한 입 냄새를 견뎌야만 하였다. 게다가 녀석은 한 번도 지정된 자리에서 불침번을 선 적이 없었다. 그가 즐기는 장소는 격납고에서 50m쯤 떨어진 곳에 있는 작은 막사였다. 그는 그곳에 숨어 담배를 피우거나, 구석에 처박혀 잠을 청하곤 하였다. 녀석이 구석으로 들어가면 나는 바짝 긴장할 수밖에 없었다. 당직사관의 불시 방문 전에, 녀석을 깨워서 데려와야 하기 때문이었다.

하지만, 그날. 초유의 강력 태풍이 온 그 날. 녀석은 대범하기 그지없는 결정을 내게 통보하였다. 200m쯤 떨어진 공사장 임시 건물에 가겠다는 거였다.

몇 달 전부터 기내에 공사판이 벌어졌다. 무슨 공사인지는 알 길이 없었다. 아무튼, 공시판이 생기니 자연스럽게 밥집이 마련되었다. 그런데 녀석은 그때부터 매일 그곳에 가서 밥을 때우곤 했다. 물론 사병이 밥집을 가는 것은 불법이었다. 걸리면 바로 영창이었다. 하지만 녀석은 뻔뻔하게 거의 매일 들렀다. 그러다 보니 밥집 아줌마하고 엄청 친해졌다.

거의 30살 넘게 차이가 나는데도, 누나 누나 하며 밥집 아줌마한테 찰싹 달라붙어서 사제 밥을 우걱우걱 처먹곤 하였다. 우리가 이 사정을 잘 아는 이유는, 녀석이 자기 돈으로 절대 밥을 사 먹지 않는다는 거였다. 녀석은 졸병들을 번차례로 한 명씩 불러내어 같이 밥을 먹고는, 무슨 자기가 엄청 어려운데 특별히 너를 초청했다는 듯이 생색을 내며, 우리에게 밥값을 착복하는 거였다.

녀석이 사라진 거대한 격납고. 낡고 노란 래커칠이 덧칠해진, 3층 철계단 난간에 선 나는, 거친 바람이 쏟아내는 다양한 소리가 일어나고 가라앉고 변주하는 어둠을 마주하고 있었다. 공간을 가득 채운 군용기들. 그들은 꺽 꺽 거리며 바람과 소통하고 있었다. 어디선가 빗물이 새기도 하였다. 관자놀이에서 눈으로 전해지는 가느다란 물방울 튀김.

나는 절망하고 있었다. 끝없는 심연. 내 몸을 불편하게 감싸는 끈적거림. 이런 느낌은 드러나지 않고 그 안에서 증식하고 내뿜으며 이상하리만치 공간으로 뻗어 나갔다. 나는 두려움에 떨면서 난생처음인 것처럼 소스라치게 놀라다가 순간 막무가내로 떠오르는 그리움에 젖기도 하였다.

그녀의 하얀 이마. 자그맣고 매끈한 피부. 얇은 입술. 반짝이는 귀걸이. 볼을 만졌을 때 느낀 차가움. 다갈색의 반짝이는 눈. 앙상한 어깨를 덮은 매끄러운 촉감. 단순하고 소박한, 명주로 만든 부드러운 안감. 나는 그 순간, 아마 내가 살아야 할 이유를 본능적으로 찾으려고 애썼는지도 모르겠다. 세상은 점점 나빠지고 있다. 나는 모슬린 천으로 만든, 바다 빛깔 드레스를 입혀주고 싶었다.

"죄송해요. 하지만 현실이잖아요. 전, 저를 재정적으로 도와줄 사람이 필요하거든요. 기다리지 않을 거예요. 미안해요." 헬리오트롭 같은 보랏빛 스웨터를 입은 여인은, 반짝이는 첼로 케이스를 만지작거리며, 눈물을 글썽거렸다. 나는 아무 말도 할 수 없었다. 하긴 뭐, 내가 그 자리에서 뭐라고 하겠는가? 세상의 이치인 것을.

이런 가장과 몽환이 뒤섞인, 이상한 느낌은 하지만, 오래가지 않았다. 세상을 삼킬 듯한 심한 폭풍 소리가 세상을 흔들었다. 나는 천천히 우의를 입었다. 철모의 끈을 바짝 당겼다. 마치 가시로 만든 화관을 쓴 것처럼 따가웠다. 나는 좁은 철문을 힘껏 열어젖히고 태풍 속으로 발을 들었다. 거친 비바람이 삽시간에 얼굴을 강타했다. 나는 비틀거리며 천천히 앞으로 나아갔다.

얼마 지나지 않아 나는 공사장 입구에 도착했다. 임시 건물을 지탱하는 끈들이 공포 속에 덜덜덜 떨고 있었다. 속을 비추는 초라한 봉창이 흐릿하였다.

나는 칼을 꺼내 끈들을 하나씩 하나씩 천천히 자르기 시작했다. 끈적끈적한 끈들이 거칠게 반항했다. 나의 손을 휘어잡고 감돌아 지나가며 발악을 하였다. 하지만 나는 단호하게 마지막 끈까지 잘라 버렸다. 거추장스러운 줄들이 어둠 속에 사라졌다. 멋지고 시원한 바람이 내 귀를 휙휙 거리며 지나쳤다.

건물이 삽시간에 흔들리기 시작했다. 흔들림의 강도가 거세어지더니, 심한 소리를 내며 꼬부라졌다. 이윽고 축구공처럼 굴러가기 시작했다. 그러더니 짜부라지는 소리와 함께 가뭇없이 사라져 버렸다.

태풍이 지나가자 평화가 찾아 왔다. 윤병장은 공사장에서 300m나 떨어진 곳에 발견되어 군 병원으로 후송되었다. 그리고 그곳에서 의병 전역을 하였다. 한쪽 다리가 심하게 부러졌다고 하였다. 나는 14박 15일의 포상휴가를 받았다. 악천후에도 불구하고 동료를 구하기 위해 고군분투한 점이 참작되었다.

나는 그때 느꼈다. 비로소 세상에 나갈 준비가 된 것을. 나는 한 마리의 귀여운 거미로 변신하였다. 나는 이제 육안과 심안, 영안 모두 바뀌었다. 입가에 거품이 북적거리기 시작했다. 그리고 항문에서 뭔가가 비죽이 튀어나오고 있었다. 나는 텅 빈 어딘가, 위로 천천히 올라갔다.

그레고리 흘라디의 묘한 죽음

남킹 장편소설

남킹 컬렉션 #001

거짓과 상상 혹은 죄와 벌

남킹 장편소설

남킹 컬렉션 #002

그녀, 사형수 #1

교도소 철망이 열리면 나는 심호흡을 한다. 이제 익숙한 곳이지만, 불안이 내면의 깊은 곳에 여전히 박혀있다. 동시에 흥분이 인다. 스스로 선택한 방문이지만 확신은 그다지 없다. 그저 나는 돈이 필요했다. 무명 작가. 문단에 이름 석 자는 일찍이 올렸지만, 대중을 사로잡지도, 비평가의 관심도 끌지 못했다. 그저 그러한 삶이 이어진다. 밥 먹고 살기 위해, 남들이 그다지 하고 싶지 않은 일을 해야만 한다.

일주일에 두 번 나는 교도소를 방문한다. 재소자들에게 작문을 가르친다. 글쓰기 수업. 주제는 없다. 그냥 자신이 쓰고 싶은 아무 글이나 쓴다. 나는 맞춤법, 띄어쓰기 같은 기본 문법만 도와준다. 그리고 그들의 작품에 대한 내 느낌을 간단하게 전달하면 된다. 사실 노력 대비 보수가 꽤 후한 편이다. 지원하는 작가도 많지 않다. 그러니 그저 감옥이라는 부담감만 떨쳐 버리면 꽤 오랫동안 우려먹을 수 있는 쏠쏠한 부업이다.

지난달에는, 언론플레이에 관심이 많은 교도소장의 노력으로, 모 방송 프로그램에도 잠시 소개가 되었다. 덕분에 창고 구석에 쌓여있던 나의 책들이, 오래간만에 기지개를 켰다는 소식도 들었다. 물론 잠깐이지만.

사실, 사람들이 나의 글에 놀라움과 찬사를 보내던 젊은 시기가 있기는 있었다. 내가 천재라고 착각하던 시절 말이다. 신춘문예에 연속으로 당선하고 지방 신문에 칼럼 하나를 맡을 때였다. 적당한 보수와 힘들이지 않아도 되는 하루. 그리고 추종자들로 둘러싸인 나의 미래가 환각처럼 펼쳐지던 날들. 나는 서둘러 책을 냈다. 황금알을 낳는 거위인 줄 알았다. 한 편, 두 편, 세 편.

4개의 철문이 차례로 열리고 닫히기를 반복하며, 마침내 나는 도서관 옆 라운드 탁자가 놓인 방에 도착했다. 3개의 탁자에 10명의 수강생 시선이 일제히 내게로 몰린다. 모두 여자다. 같은 재소자 복장이지만, 화사한 분홍빛과 덤덤한 회색, 서늘함과 따스함, 늙음과 젊음, 무표정과 반항이 섞여 있다. 그들의 글도 마찬가지다. 단순하고 치졸한 신세 한탄부터, 지나간 날들에 대한 추억과 연민, 혹은 후회로 점철된 우스꽝스럽기 그지없는 고백, 세상에 대한 적개심, 배신과 따돌림, 불우한 숙명으로 이어지는 자조, 그저 시간 보내기용으로 묘사하는 적나라한 야설도 등장한다.

글의 수준은 낮지만 다들 진지하다. 나는 그들을 희망으로 인도하는 착한 거짓말을 한다.
"지난주보다 좋아졌군요."

"네, 많이 나아졌어요."

"표현이 풍부해졌어요."

"좋은 글이군요."

"마음에 닿는군요."

"다음 주가 더 기대됩니다."

신의 땅 물의 꽃

낭킹 장편소설

낭킹 컬렉션 #003

심해

남킹 장편소설

남킹 컬렉션 #004

그녀, 사형수 #2

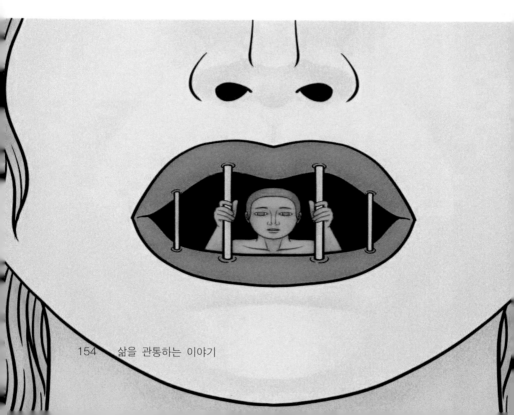

삶을 관통하는 이야기

1시간 반이 그렇게 끝났다. 하지만 끝이 아니다. 아직 30분이 남았다. 나는 다른 한 여자를 기다린다. 일반 재소자와 같이할 수 없는 여인. 사형수.

여자는, 처음이자 마지막으로, 남자 친구와 공모하여 강도질했다. 가족을 협박하여 돈을 갈취한 뒤, 불을 질렀다. 3명이 죽었다. 그녀의 의붓아버지와 이부동생들이었다.

방화는 우연이라고 변호사는 항변했다. 하지만 경찰은 트렁크에 난 신나 자국을 증거로 제시했다. 남자 친구의 차였다.

나는 다시 4개의 문을 통과한다. 일반 면회실을 지나 복도 끝, 정사각형의 골방에 도착한다. 장식이라곤 CCTV뿐인 온통 하얀 곳. 모든 모서리가 라운드로 된 탁자와 의자가 중앙에 있다. 나는 그곳에서 항상 그녀를 기다린다. 장기수 혹은 사형수 전용 면회실.

흥분이 밀려온다. 익숙하지만 늘 낯선 감정이 감싼다. 나는 그녀를 항상 생각한다. 어리석으리만큼 뜨거워진다.

그녀는 뭔가 특별한 것이 있다. 첫 만남부터 그랬다. 여자는 너무나 단순하고 해맑아 보였다. 마치 내가 사형수인 것처럼 느꼈다. 창백한 피부와 투명한 눈빛, 맑은 미소로 그녀는 낯선 이에게 말했다.

"아저씨와 섹스하고 싶어요."
"CCTV가 비추지 않는 좁은 공간이 있어요. 바로 저 구석이죠." 그녀는 열정에 사로잡힌 듯 단발을 흔들며 발그레한 볼을 부풀렸다.

그녀는 느긋하다. 마치 갇힌 공간을 부유(浮遊)하는 햇살 속의 먼지 같았다. 여자는 고사리 같은 손을 턱에 괴고는 끝없이 나를 바라본다. 나는 노트북을 펼치고 녹음기의 플레이 버튼을 누른다. 여자의 목소리가 일정한 속도로 천천히 흘러나온다. 나는 그녀를 자판에 담는다. 여자가 글을 남기는 유일한 방법. 그녀는 세 번이나 자살을 시도했다. 흉기가 될 수 있는 어떤 물건도 허락되지 않는다.

여자의 문장력은 놀랍다. 직선의 광선에 갇혔으나 빛보다 더 선명하게, 그녀가 선택한 단어가 이어지고 엮어진다. 그녀가 내게 내놓은 문장은 화려함을 감춘 응축과 포용이 뒤섞인 황홀한 습지처럼 부스스하다. 낙서와 무질서, 혼란스러운 메모 덩어리들이 뒤죽박죽인 상태로 질서정연하게 이어나간다. 혹은 느닷없이 거친 문장이 치열하고도 단순하게 불쑥 솟아오른다.

나는 그녀의 언어를 탐욕스러운 눈빛으로 쳐다본다. 갖고 싶은 문장들. 내가 늘 건사하고 싶었던 언어들이 보석처럼 빛나고 있다. 겨우한 장이 끝났는데 숨이 헉하고 찬다. 격렬한 연주가 끝난 음악가처럼 두근거린다. 나는 그녀를 쳐다본다.

"죽기 전에 도서관에 있는 모든 책을 뒤져 볼 생각이에요. 선생님."

"그냥 첫 장만 읽으면 감이 와요. 끝까지 읽어야 할지 말지."
"이번 주에만 벌써 서른 권 넘게 읽었어요. 물론 끝까지 읽은 책은단 2권이죠. 양철북과 악마의 시."
그녀는 글이 주는 수혜의 빙 속에 잠겨있다. 여자의 운명은 너무도잔인하게, 죽음 앞에 비로소 삶의 가치를 내비친다.

나는 순간, 그녀가 사형수라는 것에 강한 질투심을 느낀다. 어차피인간은 죽는다. 우리는 모두 그날을 알 수 없는 사형수다. 그녀는 애써 살기 위해 해야 할 의무에서 해방된, 어찌 보면 가장 자유로운영혼이다. 삶을 온전히 자신에게로 맞추어 놓으면 된다.

나는 타협을 한다. 그녀는 완전히 나에게만 있다. 여자의 사형 집행일은 내 소설이 새롭게 태어나는 날이다. 나는 그녀의 재능으로 명예를 벌고, 그녀는 나로 인해, 사람들 속에 영원히 존재할 것이다. 세상 사람들이 소멸하기까지.

나는 그녀의 생각을 거두고 빈 녹음기를 건넨다. 그리고 그녀의 요구대로 구석으로 갔다. 그리고 거칠게 그녀의 옷을 벗긴다. 앙증맞은 입술에 나를 포갠다. 하찮은 내 몸뚱이를 계약의 징표로 바친다.

파벨 예언서

떠오르는 위협

리셋
Reset

남킹 SF 소설집

남킹 컬렉션 #010

바라밀로 가는 길

그만하여라, 아난다여.

슬퍼하지 말라, 탄식하지 말라, 아난다여.

사랑스럽고 마음에 드는 모든 것과는 헤어지기 마련이고

없어지기 마련이고

달라지기 마련이라고

그처럼 말하지 않았던가.

- 붓다의 유언 -

제인은 긴 잠에서 눈을 떴다.

푸른 기운이 사방에 돌고 서글픈 생각이 눈을 가렸다. 밝은 시끄럽고 안은 침묵이 앉았다. 삼가타의 환락 도시는 자지 않는 이들의 천국처럼 사방에 소음을 흩뿌린다. 약과 춤과 섹스와 폭력이 모든 흔한 구성원이다.

아름다움이 겉을 장식하고 속은 추하게 일그러진다.

붓다는 자신을 스스로 등불로 삼고, 진리를 등불로 삼으라고 하였다.

그녀는 불행했다.

부모는 약쟁이였고 오빠는 폭력배였다. 늘 두들겨 맞고 강간당했으며 아픔이 친숙함을 대신했다. 살아 있음이 지옥으로 죽음의 두려움을 상쇄했다. 손목에 면도칼이 그어지고 철창처럼 차가운 침대에 널

브러저 푸른 하늘에 천국을 꿈꾸었다. 닥쳐오는 재앙은 요행으로 절대 피할 수 없었다.

절대로.

모든 번뇌 가운데서 증오가 가장 파괴적이다. - 붓다의 말씀 -

16세에 애를 낳고 17세에 또 애를 낳고 남편은 사라졌다. 새로운 남자는 그녀에게 매일의 노동을 강요하였다. 집과 직장에서 수많은 시간이 괴로움과 고통 속에 사라졌다.

주사기가 난무하는 2층 침실에서 그녀는 매그넘 방아쇠를 쉴 새 없이 당겼다. 붓다의 세상에서 수천 년이 지난 날이었다. 남자는 형체를 알기 힘들게 갈라지고 부서졌다.

우리는 이미 수없이 많은 전쟁과 참혹한 인간상을 보지 않았는가?

하지만 살아남은 자에게는 어떤 것도 보이지 않았다.

저쪽 기슭. 피안의 세상으로 인도하는 길은 멀고도 험하였다.

여자는 가석방 없는 종신형을 받았다. 10년 후 변호사는 그녀가 처한 끔찍한 지옥을 장대한 글로 피력하였다.

"모든 절망과 아픔과 슬픔과 고통을 다 합처놓은 종합세트의 불행이었습니다. 재판장님. 주지사님. "

감면이 이루어지고 언론이 환호했다. 여론이 뜨겁고 방송이 앞다투어 지난날을 파헤쳤다. 그녀는 머지않아 토렌질 하바드의 비교적 자유로운 교도소로 이감되었다. 교육이 주어지고 생애 처음으로 졸업

장을 받았다. 두 딸과 자유로운 면회가 허락되고 종교 활동과 도서관 출입이 허락되었다.

그녀가 도서관 책상에 주저앉아 펼친 책은 얄팍한 반야심경이었다.

푸른 희망이 실처럼 조여오는 시간 속에, 과거의 온갖 고통이 아귀처럼 달라붙어도 암송의 구절 속에 복받치는 울음이 불을 타고 번지니, 모든 것은 없음이요 없음은 곧 모든 것이었다.

실체는 허공이요 형태는 허상이며 의식, 감각, 생각, 행동, 색깔, 소리, 향, 맛, 감촉, 법, 경계, 늙고 죽음, 지혜와 얻음이 모두 한가지고 다름이라. 괴로움이 기쁨이며 번뇌가 극락의 다름이었다.

시간은 앎의 기쁨에 놓여있고, 그녀는 머리를 밀고 의식을 스스로 주관하고 세상의 모든 지식을 탐하고 사랑을 표현하고 변호사의 탄원서에 서명하였다. 그리하여 41세에 비로소 자신의 의지로 어디든지 갈 수 있는 자유가 허락되었다.

그녀는 의외의 선택, 환락의 도시로 선택하고 찾아왔다.

하지만, 썩은 이들 가운데 놓이고 미처 날뛰는 허상과 감각에 허우적거리는 그들은 의식조차 말라버린 세상에서 이 이질적인 여인을 증오하고 구박하고 심지어 학대까지 하였다. 그저 얼마 되지 않는 적은 재산조차 아첨꾼에 뜯기고 도로 위에 주저앉은 창녀처럼 서글픔으로 말라갔으니 피곤이 몰려오고 긴 잠이 쏟아지고 미처 의식하지 못하는 몽환의 번뇌가 어찌 이 연약한 여인을 곧추세우겠는가?

그러다 만난, 긴 수로에 흙색 물길을 따라, 무거운 비가 쏟아지고, 바람이 얇은 옷깃을 세차게 때리는 그날, 부산하게 움직이는 장사꾼 배 사이에 아슬하게 놓인
한 송이 연꽃.

그 아름다움이 경탄을 불러 그녀의 속이 넘쳐흐르는 사랑으로 채워졌다. 비로소 그녀의 몸 구석구석에 각인된 경전은 세상의 허무가 안겨준 것조차 무아의 빛으로 발하니 그녀는 굴하지 않고 일어나 정신을 가다듬고 붓다의 유언을 새기고 질퍽거리는 썩은 거리에서 연꽃을 피우고, 뿌리고 다니기 시작했다.

43세에 똥으로 가득한 길모퉁이에 그녀가 세운 작은 집은 고아들의 안식처가 되고 미혼모의 고향이 되었으며 버림받은 이들의 위로가 되었다.

선하고 부유한 어떤 이가 그녀의 소식에 감동하여 선뜻 후원이 이루어지니 버림받은 이들의 집들이 도시의 구석구석을 채우기 시작했다. 소식은 바람을 타고 선한 기자의 눈을 채웠다. 다큐멘터리가 만들어지고 여인은 두 딸과 함께 나라 구석구석을 돌며 연꽃처럼 아름다운 집을 만들어 나갔다.

하지만 45세에 버스에 올라탄 그녀는, 탐욕에 눈먼 자의 약을 먹고 쓰러졌다. 쓰러진 여인은 바다에 버려졌다. 그들은 그녀의 가방에 든 적은 금액의 여행자수표를 탐하고 달아났다.

붓다의 유언 이후, 2,500년이 지나도 인간은 변한 게 고작 이거였다.

하지만 슬퍼하지 말라 아난다여.
그처럼 말하지 않았던가.

남킹 컬렉션 #011

1월의 비

남킹 감성 소설집

남킹 컬렉션 #019

이방인

남킹 장편소설

어둠

감옥은 크지도 작지도 않았다. 그저 내가 살던 집에 비해 지나치게 작을 뿐이다. 하지만 나는 곧 적응했다. 나는 예전에 이보다 더 작은 곳에서 살았던 적이 있다. 내가 태어난 그해는 다들 힘든 시기라고 하였다. 물론 나는 그 사실을 모르고 자랐다. 모두다 그렇게 사는 줄 알았다. 방에는 4개의 침대와 2개의 책상, 6명의 형제가 살았다. 막내였던 나는 늘 누이의 품에서 잠들었다.

방에는 항상 긴장이 흘렀다. 형들은 무수한 시련과 갈등을 곳곳에 날카롭게 새겨 넣었다. 조심해야 했다. 하지만 그런 데도 많은 상처가 남았다. 나는 무기력했다. 언제나 가과 받는 존재였다. 나의 삶을 압도하는 어둠은 그곳에서 비롯하였다. 그것은 나를 감싸는 죄의 음영이었다.

나는 형들이 저지른 잔인한 장면을 목격했고, 점점 잔혹한 사건에 나를 포함하기 시작했다. 그 어둠의 기억들이 내 성장기의 전부였다. 그 작은 방의 벽 안에서 느낀 고통과 상실이 나를 정의했다.

감방도 그때와 비슷하다. 4개의 침대와 2개의 책상, 4명의 수감자가 갇혀 있다. 나는 한 달째 이곳에 머물고 있다. 감옥의 한 칸, 그 비좁은 벽 사이에서 나는 시간의 무자비한 <느림>에 다시 직면했다.

나는 가석방 없는 30년 형을 선고받았다. 나의 죄목은 미성년 성 착취와 성매매이다. 변호사는 항소를 준비하고 있으나, 내 형량이 낮아질 가능성은 제로에 가까웠다. 오히려 형량이 늘어날 가능성이 더 컸다. 왜냐하면 이번 결과에 대하여, 검찰, 언론, 여론, SNS 모두 한 목소리로 불만을 토했기 때문이다.

데일리 트리뷴지의 표현에 따르자면, 나는 <악마> 그 자체였다.

동료 수감자들도 나를 싫어했다. 이곳에 들어올 때부터 나는 유명인이었다. 그들은 내게 침을 뱉거나, 다리를 걸어 넘어뜨리거나, 귓속말로 협박하거나, 날카로운 도구로 찌르기도 하였다. 하지만 나는 잘 적응하고 있다. 이미 겪어봤기 때문이다.

나는 늘 두들겨 맞았다. 상대만 바뀔 뿐이었다. 아버지에서 형으로, 선배에서 두목으로. 다들 그렇게 맞으면서 사는 줄 알았다. 나는 그저 죽지 않은 게 다행이라고 여겼다. 왜냐하면, 내가 다비드 린치 선생의 도움으로 해병대에 입대하기 전, 나와 거리를 활보하던 녀석 중 3명이 이미 총상으로 죽었기 때문이었다.

내가 군인이 된 것은 행운이었다. 나는 전쟁을 좋아했다. 그저 죽이는 게 좋았다. 폭력은 늘 나의 든든한 동반자였다. 나는 하루라도 빨리 살육 현장에 뛰어들고 싶어 안달이 났었다. 그런 의미에서 내게 아프간 전쟁은 구세주나 마찬가지였다.

****

나는 망가진 풍경에서 희열을 느꼈다. 전장으로 투입한 내가 머문 캠프는, 지도에 검은 산으로 나오지만, 실제는 그저 황량하고 더러운 사막 언덕이었다.

어느 날 도보 순찰 중, 나는 접근 중인 버스를 정지시키고자 손을 흔들었다. 하지만 버스는 우리를 그냥 지나쳤다. 분노와 충동이 나를 휩쓸었다. 나는 총으로 난사했다. 4명의 승객이 죽고 11명이 나쳤다. 한 명은 임신 중이어서 긴급 제왕절개 수술을 했다. 하지만 아이는 죽었다. 나는 상황을 회피하기 위해 보고서를 조작하여 상부에 알렸고, 가벼운 처벌만을 받았다.

그 순간의 무자비한 행동과 거짓으로 채워진 보고서는 나의 어둠을 감추기에 충분했다. 나는 선량한 마을 주민들을 위험에 빠뜨리고, 잔인하게 때리고, 욕하며 심지어는 죽이는 행위까지 저질렀다. 나는 포로들을 노예 취급했다. 나의 주특기는 <고환 강타>였다. 그들을 쭉 일렬로 세워놓고 군화 발끝으로 그들의 불알을 가격했다. 그러면 고릴라처럼 무식하게 생긴 녀석도 그 자리에 꼬꾸라져 데굴데굴 구를 수밖에 없었다. 나는 또한 단식 투쟁하는 놈들이 있으면 끌어다가 소위 <직장 급식>을 시행했다. 좋은 말로 직장 급식이지 나는 늘 <똥꼬 급식>이라고 불렀다. 그들의 항문이 찢어져 피가 흐를 때마다 나는 아드레날린이 솟구치는 희열을 느꼈다.

이럴 때마다 나는 깨닫는다. 인간의 본성이 얼마나 어두운지. 나의 영혼이 얼마나 타락하였는지.

나는 동료들에게 늘 이렇게 외쳤다.

"수상쩍거나 빌어먹을 놈들을 보면 총알을 가차 없이 들이부어!"

나는 권총, 저격소총, 기관총 등 다양한 무기를 즐거이 다루었다. 그 중에 나는 M240 중기관총을 세일 사랑했다. 폭발적인 화력과 긴 사거리. 다가오는 적들을 향해 방아쇠를 당길 때마다 그것의 매력에 빠지지 않을 수가 없다. 눈앞에 갈가리 찢어지는 생명체의 놀라운 장면들. 그건 마치 멋진 할리우드 액션 영화를 한 편 보는 것과 같았다.

****

휴가를 받으면 나는 캠프에서 멀지 않은 집창촌에서 주로 놀았다. 부대 근처에는 항상 작은 마을이 만들어졌다. 그곳은 우리의 안식처이자 환락의 오아시스였다. 게다가 집창촌은 어린 시절 그립고 따뜻한 추억이 깃들어있는 곳이었다. 그 작고 아늑한 집들은 항상 붉고 푸른 네온사인으로 마을을 환하게 밝혔다. 창살로 된 창문 너머로는 쾌락과 욕망이 스며들었고, 마당은 언제나 정액 냄새 가득한 길레들로 가득했다.

폐허 속에 살아가는 어린 소녀들은 절망의 그물에 갇혀 있는 존재들처럼 보였다. 그들의 눈동자에는 미래가 없는 어두운 그림자만 서려있다. 그들은 학교가 아닌 길거리에서 자라, 살기 위해 내 앞에서 사타구니를 벌렸다. 그들은 어린 시절을 잃고, 폐허와 죽음의 그늘에서 숨을 쉬었다. 사실 나와 별반 다르지 않은 유년기인 셈이있다.

그들의 눈동자는 나와 닮았다. 비현실적이고 무감각한 세상 속에, 냉혹함과 비참함이 비친다. 순간의 비통은 온몸을 감싸고, 그 어린 몸은 저주받은 고통의 쇄도에 휩싸인다. 시간은 멈추고, 공기는 침묵으로 무거워지며, 우주는 그 비참한 장면을 영원히 검은색으로 칠한다. 우리는 전쟁의 무자비한 태양 아래서 썩어가고, 존재는 순간적인 반짝임처럼 사라진다. 전쟁은 원래 비참하다. 그리고 전쟁은 항상 비참하다.

****

존경하는 재판장님. 이것이 저의 간략한 인생입니다. 저는 대체 누구입니까?
아무쪼록 선처를 바랍니다. 감사합니다.

그레고리 훌라디의 묘한 죽음

남킹 장편소설

남킹 컬렉션 #001

부속품

미리암과 레지가 탄 차는 점점 인적이 드문 곳으로 흘러가는 듯이 보였다. 지면이 튀고 앉은 자리가 고단했다. 맞은 편에 앉은 네가래는 이런 일이 익숙한 듯 싱긋이 웃으며 그의 지저분한 이빨을 드러냈다. 그 모습을 지켜보는 레지는 가벼운 두통을 느낄 만큼의 역겨움을 느꼈다. 레지는 어지럼증을 호소하고 싶었으나 꾹 참았다. 실내를 채우고 있는 폭력의 기운이 그녀가 이 상태에서 무슨 얘기를 하더라도 전혀 도움이 되지 않으리라는 것을 명확히 보여 주었다.

그들의 차가 건널목을 조금 지나 급정지했다. 이때 뒷문을 통통 두드리며 지나가는, 행인에 대하여, 운전하고 있던 사무엘은 큰 소리로 그를 향해 욕을 싸잡아 내질렀다.

만약 그들이 가던 길을 멈추고 사무엘에게 다가갔다면, 납치 미수로 마무리되고 미리암과 레지는 가족의 품으로 돌아갔을 수도 있었다. 하지만 운명은 몇 번의 고비를 간당간당하게 넘기며 점점 수렁으로만 빨려 들어갔다.

종일 비가 오락가락했고 차 지붕에는 차가운 비가 부딪히는 경쾌한 소리를 단속적으로 내뱉었다. 그만큼 실내는 조용했다는 뜻이다.

차가 다시 출발하고 나서 뒤에 있던 레지가 꿈틀거리며 조용히 외친 한마디는 네가래와 안타드스에게 빈정거림과 미소를 선사했다.

"우리 집은 부자야!. 그러니 나를 죽이지는 말아줘! 너는 돈을 무척 많이 벌 거야!"

사무엘이 가장 크게 웃었다.

"지금 너희들을 원하는 자보다 이 도시에서 돈 많은 이는 아마 없을 거야. 바보야! 뭔지 모르면 잠자코 있어라!"

차는 기찻길을 넘어 쭉 뻗은 도로에서 빗소리를 확대하며 지나갔다.

"내가 하나만 말해주지. 걱정하지 마! 너희들은 죽지 않아! 너희들은 노리개로 팔려 갈 거야. 그냥 부속품이지. 그건 우리도 마찬가지야. 알겠어! 결국 세상은 돈 많고 힘 있는, 사악한 자들의 것이니까."

길에 내리는 빗물

남 킹 소 설 집

남킹 컬렉션 #024

남 킹

남킹 컬렉션 #022

줄리아의 꿈 #1

제1부

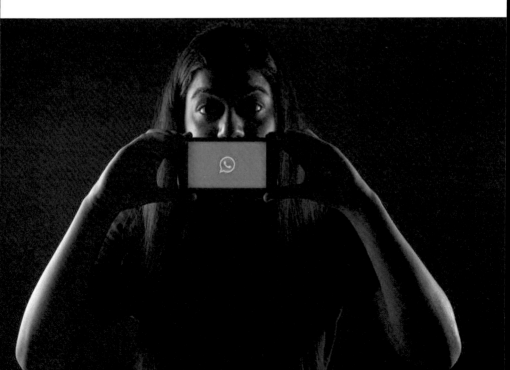

"I have no desire to the relationship I mean."

"프로필에 올리신 글을 보고 이 말씀 미리 드려야 할 것 같아서요."

영어와 한글로 각각 이런 메시지가 왔다. 보낸 이는 juliadream. 나는 내 프로필에 'dating'이라고만 썼다. 그녀의 프로필은 영어, 한글, 독어가 섞여 있었다.

'living and working in Germany.

I am trying to be positive thousand times but failed 999 times.

Hope it is the last time for this loop.

all kinds of talks are welcome.

지긋지긋한 삶.

입담 없는 수다쟁이.

벗어나지 못한 뻔한 인생에서 아등바등하는 못난이.

Ich bin auf Suche nach äußerlichem Ehrgeiz und innerlichem Glück, die ich seit langem verloren habe.

(I am looking for external ambition and happiness that I have lost for a long time.)

30/여성/중국/160.68km²

그녀는 회색 하늘과 고성, 호수를 배경으로 한 사진을 올렸다. 작은 얼굴. 둥근 안경. 아담한 체구. 옅은 달걀색 바바리는 무척 커 보였다. 그리고 불그스레한 작은 입술에서 희미한 미소가 느껴졌다. 무거운 자기소개와 짙은 배경의 사진이지만, 얼굴은 희망의 풍선을 탄듯 가벼워 보였다. 나머지는 모두 제라늄꽃 사진이었다. 배경 음악으로 <Kwoon>의 <I lived on the Moon>이 흐른다. 나는 살짝 짓궂은 생각이 들었다.

"초면에 실례지만, 남녀관계를 욕망하지 않는다는 것은 죽은 인간뿐일 겁니다. 아마."라고 메시지를 남겼다. 사실 여러 가지 답장을 생각하였으나 피곤으로 관두었다. 독일에 온 지 하루도 되지 않은 시점이었다. 폴란드에서 비행기가 갑자기 결항하는 바람에, 베를린까지 택시를 타고 와서, 다시 국내선을 타고 프랑크푸르트로, 거의 하루를 까먹으며 도착하였다. 항공기로 한 시간이면 족한 거리를 말이다. 나는 공항에서 사장에게 메시지를 남겼다.

"사장님, 무사히 잘 도착했습니다. 오늘부터 2주, 호텔에서 자가 격리 후, 사무실을 방문하도록 하겠습니다. 그동안 기다려 주셔서 감사합니다." 사실 국경봉쇄만 아니었다면 벌써 다니고 있을 회사였다.

****

잠에서 깨면, 현대인답게 휴대전화기를 들여다본다. 카카오톡 39개,
라인 22개, 왓츠앱 9개의 읽지 않은 메시지가 기다리고 있다. 나는
채팅에 중독되었다. 익숙한 솜씨로 메시지를 훑어보고 지나간다. 대
부분이 짤막한 단문이거나 이모티콘이다. 우리는 모두 묵시적으로
알고 있다. 내게 온라인 여자 친구가 많이 있듯이, 그녀들 또한 수많
은 남자 친구가 온라인에서 기다리고 있다는 사실을. 풍족함은 부족
에서 기인하는 절박함을 앗아간다. 그러니 그다지 마음에 두지 않는
사이라면, 서로의 귀한 시간을 아끼는, 사려 깊은 대답 한마디로 관
계 확인만 하고 지나간다. 그것도 아까우면 그냥 이모티콘 하나 콕
찍어 버리면 그만이다.

"도대체 몇 명과 채팅하는 거예요?" 가끔 이렇게 물어보는 멍청한
여자가 있다. 그러면 나는 이렇게 대답한다.
"너무 많아서 헤아리기 힘듭니다. 대충 삼백 명 넘어요." 데이팅 앱
을 시작하면서 나의 메신저에는 모두 317명의 친구가 실제로 등록
되었다. 모두 여자다.

"저 오늘부터 다른 관계 모두 끊고 당신하고만 채팅할 거에요." 아주 가끔 이런 말을 하는 친구가 있다. 화상 채팅으로 서로가 진짜인 것을 확인한 직후에 주로 벌어진다. 그러면 나는 무조건 차단해 버린다. 이런 여인의 특징은 경험으로 터득하였다. 그녀는 집요하게 나의 일거수일투족을 물을 것이다.

"당신도 결국은 변태군요?" 이혼한 싱글맘에게 육체적 욕구는 어떻게 해결하세요? 라고 물어보면 종종 이런 답을 듣게 된다. 주로 아시아계 혹은 이슬람교도 여인들이 민감하게 반응한다. 나는 "구글에서 검색하면 당신보다 훨씬 이쁘고 날씬한 여인들의 음란한 사진들을 수도 없이 볼 수 있어요. 안타깝게도 당신에게서 어떤 성적인 매력도 느끼지 못하니 그다지 걱정 안 하셔도 되겠습니다."라고 쏘아붙이고는 나가버린다. 사실 이성 간의 채팅에서 로맨틱한 대화를 빼버리면 정말이지 할 말이 남지 않는다. 강아지 사진과 밥 먹는 장면으로 한 달 이상 관계를 유지하기는 불가능하다. 그런 면에서 나는 유럽과 남미 쪽 여인들을 선호하는 편이다. 그들은 칭찬받는 것을 즐기고 성적인 대화에 큰 거부감이 없으며 섹시하다는 표현을 받고자 노력한다. 그리고 솔직하다. 내면의 감정을 가감 없이 드러낸다. 그들은 이미 삶을 깨달을 듯 보였다.

'인생 뭐 별거 있어?'

'바람처럼 삽시간에 사라질 운명.'

'그냥 즐기는 거지 뭐. 애써 남의 눈치 볼 필요 없잖아. 그들도 먼지처럼 가버릴 텐데….'

'그래, 참을 수 없는 존재의 가벼움이지.'

****

"그저 지탱할 만큼만 무겁기를 바랄 뿐이에요."

"삶을 감당할 힘이 점점 옅어지고 있거든요. 초면에 송구스럽지만."
나는 juliadream이 보낸 메시지에 순간 동작을 멈추었다. 머릿속 회로에 때가 낀 듯 적절한 답변이 떠오르지 않았다. '이건 뭐지? 사실이라도 하려는 걸까?'

"최근에 안 좋은 일 있으세요?" 나는 결국 평범한 메시지를 띄우고 한동안 화면을 쳐다봤다. 최근에는 드문 행동이었다. 다양한 하트 이모티콘을 쑥쑥 날리고는, 답장받는 대로 사랑 타령이나 야한 이야기로 응수하는 게 일반적이었다.

"아뇨, 그런 거는 아니고요. 항상 안 좋을 뿐이에요. 아무튼, 고마워요. 걱정을 해 주셔서." 얼마 동안 기다린 걸까? 다시 머리가 굳어졌다. 답장을 미룬 채 그냥 멍하니 보고만 있다.

"죄송해요. 쉬는 시간이 다 끝났어요. 내일 연락드릴게요. 감사합니다." 나는 시계를 봤다. 얼추 오후 2시가 되었다.

다음날, 오후 1시 반쯤 그녀에게서 다시 메시지가 왔다.

"안녕하세요? 바람속의먼지님. 별일 없으시죠?"

"한글 엄청나게 잘하시던데, 언제 배웠어요? 학교에서?"

"한국인 회사에 다니고 있어요. 5년 동안. 그리고 조선족이에요."

"그럼, 영어와 독일어는?"

"영어 선생이었어요. 중국에 있을 때. 그리고 독일 남자 친구와 3년 정도 살았어요. 여기에서."

"그런데, 혹시 자살하려는 거는 아니신 거죠?"

"하하하, 자살할 수도 없어요. 아기가 있어요. 네 살 된."

"아빠는?"

"휘리릭…."

"네?"

"그냥 사라졌어요. 어느 날." 그녀는 사진을 보내왔다. 아기를 품은 모습. 터 없이 맑은 미소.

"혹시 아기의 아빠가 될 사람을 찾는 건가요?"

"아뇨, no desire to the relationship."

"아, 맞다. 제가 깜빡했네요."

"아뇨, 제가 죄송해요. 그냥 하루에 한 번 이야기를 들어줄 수 있는 친구가 필요해요. 아주 외롭거든요."

"그럼, 차라리 가까이에 있는 친구를 사귀는 편이…."

"죄송해요. 시간이 다 되었네요. 그럼 다음에. 감사합니다."

다음날에도 비슷한 시간에 그녀가 나타났다. 까닭 모를 반가움이 스멀스멀 찾아왔다. 우리는 사진을 교환하고, 몇 가지 개인 정보를 교환하였으며, 폴란드에서 내가 겪은 에피소드를 들려줬다. 한국에서는 상상도 할 수 없는 이야기를.

우리 회사에 우크라이나 운전사를 새로 뽑았어요. 그는 틈만 나면 '시스키 뷔스키'를 읊조리며 다녔어요. 어느 날 제가 물었죠. 무슨 뜻이냐고? 그는 마침 지나가는 동료 여자를 불러 세우더니, 그녀의 가슴과 음부를 가르치며 키득키득하더군요. 그러면서 한글로 어떻게 되는가를 물어봤어요. 저는 '가슴, 보지'라고 알려주었어요. 그러자 그는 그때부터 가슴, 보지를 중얼거리며 다녔어요. 심지어 우리 사장님 앞에서도 멈추질 않았어요. 그래서 결국 잘렸어요. 왜냐하면, 사장님이 한국인 할머니였거든요. 결혼을 한 번도 하지 않은.

****

자가 격리하는 동안 우리는 매일 30분씩 채팅을 하였다. 마치 강박증 환자처럼, 그녀는 비슷한 시간에 나타나 어김없이 시간을 채우고 사라졌다. 그동안 날이 갑자기 무더워지고 여인들의 옷이 삽시간에 가벼워졌다. 하지만 그녀가 보내는 사진은 여전히 겨울이었다. 나는 최근 사진을 요구하였지만 미안하다는 말뿐이었다.

"시간이 없어서요. 죄송해요."

"그래도 언젠가는 보내 주실 거죠?"

"네. 조만간에."

"아주 섹시한 걸로."

"그건, 좀 더."

그동안 우린 아주 많이 가까워졌다.

"당신에게 키스해도 될까요?"

"하지만 떨어져 있는데 어떻게?"

"그냥 말로만 하는 거죠. 괜찮죠?"

"네"

"kiss you."

"yes"

"all over."

"What?"

"너의 모든 곳에 키스를…" 그리고는 다양한 하트 이모티콘을 날리곤 하였다. 그녀의 바람과는 달리 나는 친구 이상의 감정을 조금씩 느끼기 시작했다. 어느새 그녀를 'my lady'라고 부르고 있었다. 그리고 두서없이 채팅을 이어갔다. 딱 하루에 30분이라는 것이 점점 조급하게 다가왔다. 재치가 번듯이는 답을 하기에는 시간이 너무 짧았다.

서글픈 나의 사랑

남킹 장편소설

남킹 컬렉션 #025

줄리아의 꿈 #2

독일에서의 첫 출근. 나는 고속열차를 타고 한 시간을 간 뒤, 마중 나온 회사 차량을 이용해 20분을 더 달려 회사에 도착했다. 전형적인 독일 시골의 풍경이 펼쳐졌다. 짙은 숲이 끝나면 벌판이 나타나고, 그 끝자락에 주택들이 하나둘씩 보이다가 어느새 상가나 사무실, 꽤 높고 잘 보이는 교회가 있는 광장이 나타났다. 우리는, 물푸레나무가 무성한 잎을 자랑하는 어느 사무실 건물 앞에 주차했다. 그리고 사장을 만나 체면치레의 인사말을 주고받았다. 그는 편한 반바지에 낡은 슬리퍼를 찍찍 끌며 모든 직원을 소개해주었다. 그리고 다시 사장의 차를 타고 내가 근무하게 될 공장으로 향했다. 나는 그곳에서 관리자로 일할 것이다. 채 5분도 되지 않아, 우리는 지나치게 넓은 공터와 꽤 높은 공장 건물 앞에 도착했다.

"사실, 이 공장 계약할 때만 해도 너무 넓어서 무척 망설였는데…. 지금은 여기 옆에 같은 크기로 하나 더 지으려고 합니다. 하하하…." 그는 무척 만족스러운 표정으로, 제라늄 화분이 일렬로 길게 늘어선 복도를 지나, 마침내 공장의 전경이 한눈에 바라다보이는 곳으로 나를 인도했다. 여러 갈래로 길게 늘어선 컨베이어 벨트 혹은 선반 주위로 직원들이 옹기종기 달라붙어 포장 작업을 하고 있었다. 큰 문이 보이는 입구 쪽에는 포장된 물건을 팔레트에 싣고 있고, 그 주위로 지게차가 부산하게 오고 갔다.

"저 직원 대부분이 중국인입니다. 처음에는 저도 현지인을 채용했었죠. 하지만 인건비 감당이 안 돼요. 게다가 우리의 주요 시장이 이제는 중국이잖습니까. 발 빠르게 중국에 진출한 게… 신의 한 수였죠. 이제 우리의 큰손은 중국 졸부들입니다." 그는 경박스럽게 코를 킁킁거리며 말을 이어갔다.

"저 친구들은 근무시간도 길어요."

"어느 정도인가요?"

"15시간요."

"오전 5시부터 오후 8시까지. 한 시간의 점심시간을 포함해서. 1시부터 2시까지."

"그러면…"

"네, 그렇죠. 거의 잠만 자고 일만 하는 거지."

"그리고 한 달에 딱 한 번 놀아. 시간당 임금을 받으니 잘 안 놀려고 그래."

"뭐 사실 그렇게 뼈 빠지게 일해봤자 우리나라 직원보다는 턱도 아니게 작은 임금이지만…"

"뭐 어쩌겠어요. 정글의 법칙이 그러한 것을…" 그는 연신 코에 손을 갖다 대며, 자랑스러운 표정으로 아래를 내려다봤다.

"아이러니하지 않아요?"

"중국인이 이탈리아에서 만든 명품을 중국인들이 여기에서 포장하고 운반하여 중국에 판매하는 거지. 그리고 돈은 이탈리아, 독일, 우리가 벌고." 우리는 천천히 철계단을 이용해 현장으로 내려갔다. 가까이서 보니 작업 속도가 무척 빨랐다. 그들은 정신없이 일하고 있었다.

"한가지 조심할 사항은…."

"절대 타이르지 말고 자비를 베풀지 말라는 거지. 그냥 명령만 하세요. 그렇지 않으면 끝없이 기어오르려고 할 거에요."

" … "

"아직 공산주의 사상에 길들어서 그런 것 같더라고…."

"딱 한 사람, 매니저 말만 들어. 그 외에는 전부 평등하다고 생각하는 거지." 몇몇 직원이 우리를 알아보고는 고개를 까딱거리며 지나쳤다. 우리는 그들 사이를 조심스레 지나갔다. 조금 떨어진 곳에 어떤 여직원 하나가 눈에 들어왔다. 그녀는 돌아가며 여러 직원에게 뭔가 말을 전달하고 있었다.

"여기서 가장 오래 근무한 친굽니다." 사장은 나와 같은 곳을 바라보며 말했다.

"한마디로 여기 실질적인 리더라고 보면 됩니다. 만능 꾼이에요. 4개 국어를 합니다. 저래 봬도, 중국어, 한국어, 영어, 독어. 거의 모든 통역을 합니다. 앞으로 우리 김 부장님을 많이 도와줄 거예요."

여인이 우리를 알아챈 듯, 목에 감긴 녹색 수건을 풀어 젖히며, 나를
유심히 바라보기 시작했다. 작은 얼굴. 둥근 안경. 아담한 체구. 나는
발길을 멈추었다. 그리고 그녀를 바라봤다. 티 없이 맑은 미소를 떠
올리려고 노력했다. 하지만 그녀는 무척 수척했다. 나는 머쓱한 상태
로 그녀를 바라봤다. 그때, 사장이 내게 속삭였다.
"한 번씩 저녁 사주고 분윳값 정도만 주시면 아주 정성스레 잘해
줄 거예요. 무슨 뜻인지 알겠죠?"
"저 친구 돈이 아주 궁하거든요."

파벨 예언서

떠오르는 위협

남킹 장편소설

남킹 컬렉션 #008

남킹 컬렉션 #019

이방인

남킹 장편소설

버스 민폐녀 #1

잠을 설쳤다. 기대 반 우려 반. 설렘 반 긴장 반.

맞선이 있는 날.

<이루리> 결혼정보회사의 13번째 공식 소개팅. VIP 고객인 내게, 걸맞은 남자의 신상이 펼쳐져 있다.
41세. 한국항공우주연구원. 미국 유학. 키 177cm. 몸무게 77kg. 수도권 아파트 소유. 교육자 집안. 취미는 독서와 등산. 호감형 얼굴. 연봉 일억 이상.

나는 밥을 먹는 둥 마는 둥 하고 서둘러 단골 미용실인 <버르장머리>에서 곱게 단장을 했다. 거울에 비친 나의 우아한 모습. 비록 서른아홉이지만 이십 대 중반이라고 해도 다들 수긍할 정도의 동안이다. 물론 들창코는 살짝 손을 댔다. 눈도 하는 김에 같이 했다. 그러다 욕심이 생겨 가슴, 허벅지도 쪼끔, 스치듯 손을 봤다.

나의 전담 커플 매니저인 나직방 님의 줄기찬 요구에 어쩔 수 없이 압구정역 7번 출구 <오똑한코 성형외과>에 거금을 투자했다. 결과는 매우 만족. 다들 잘 뽑았다고 난리다. 문제는, 나의 서글픈 은행 잔고. 겨우 일백만 원 정도 남았다.

자본주의 사회에 이건 그야말로 <인생 밑바닥>의 다른 이름. 저절로 한숨이 나올 수밖에 없는 상황이었다.
사실 이 모든 비극은 그놈의 탁상용 카렌다로부터 시작되었다.

사장 친척이 운영한다는, <바나나 저축은행>이 곳곳에 요란하게 새겨진 작은 달력. 달력 뒷면에는 예외 없이 유럽의 어느 멋진 풍경이 나온다. 뭔가 고풍스러우면서도 고상하고 멜랑콜링하면시도 친근한 거리와 카페, 교회. 하지만 나는 무심히 그냥 쳐다볼 뿐이었다. 적어도 그 어느 날 까지는 말이다.

나는 한때 열렬한 비혼주의자였다. 하지만 다른 비혼주의자 여자들과는 좀 달랐다. <혼자 사는 삶이 더 행복할 것 같아서> 혹은 <다른 사람에게 맞춰 살고 싶지 않아서> <자녀를 양육할 자신이 없어서> 같은 흔한 이유가 아니었다. 그 반대였다.

한마디로 <자유연애>. 나는 여러 놈들과 자유롭게 사랑을 나누고 싶었다. 나는 늘 입버릇처럼 말했다.

"인생 뭐 별거 있어? 한순간인데. 그냥 즐기면서 사는 거지 뭐."

그리고 나는 이를 뒷받침할 만한 대단한 자신감이 있었다. 컴퓨터 공학과였던 나는, 과에 몇 안 되는 여자 중 최고의 엘프녀였다. 놈들이 매일 침을 질질 흘리며 나의 꽁무니를 따라다녔다. 나는 이쁘기만 한 것도 아니었다. 똑똑하기까지 하였다.

학내 최고의 자바(Java) 전문가. 졸업 전에 이미 내로라하는 소프트웨어 경진대회를 휩쓸고 다녔다. 그러니 국내 굴지의 IT 업체 스카우터들도 귀찮게 나를 따라다녔다.

입사 후에도 나의 명성은 줄지 않았다. 오히려 뻥튀기처럼 늘어났다.

<독사>. 나의 별명. 한번 컴퓨터 책상에 앉으면 기본 15시간은 꼼짝없이 프로그래밍만 하였다. 버그 없는 완벽한 소프트웨어. 사용자 요구(Needs)에 딱 들어맞는 최상의 인터페이스. 최고의 속도. 탁월한 보안. 효율적인 데이터베이스.

나는 이 모든 것을 맞추기 위해 회사에서 살다시피 했다. 그렇다고 일만 한 것은 아니었다. 한 번씩 마음에 드는 녀석을 골라 물침대에서 즐거운 시간도 보냈다. 게다가 삐까번쩍한 매장에 들러 고가의 명품도 한 번씩 질렀다. 그리고 사장이나 간부들 꾀어서 오마카세 식당이나 미슐랭 스타 레스토랑에도 들러 인스타그램에 자랑하듯 사진을 올리곤 하였다.

나는 곧 팀장이 되었다. 그리고 우리 개발팀이 만든 회계 프로그램 <척척이>는, 그 해 <베스트 어워드 소프트웨어> 최우수상, <글로벌 SW> 대통령상, <신 SW 상품> 대상을 휩쓸며 시장에서 날개 돋친 듯 팔렸다. 나는 개발 총괄팀장으로 최연소 부장이 되었다.

내 주위의 모든 남자가 나를 받들었다. 나는 회사에서 그야말로 무소불위의 여왕벌이었다. 내 인생의 황금기였다.

그놈의 탁상 달력에 꽂히기 전까지는…. 적어도 그랬다.

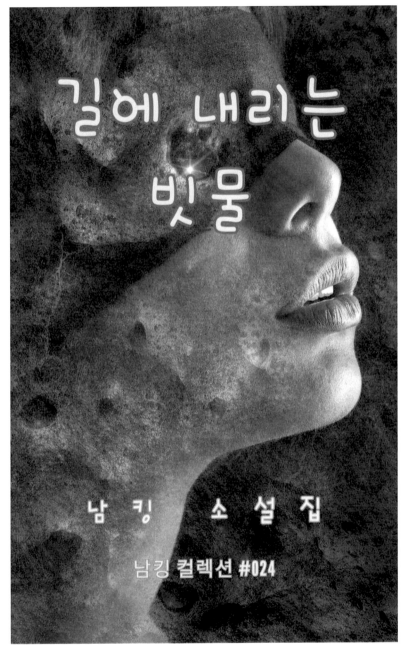

길에 내리는 빗물

남킹 소설집

남킹 컬렉션 #024

심해

남킹 장편소설

남킹 컬렉션 #004

버스 민폐녀 #2

자, 이제 달력 이야기를 해야겠다. 그래, 그렇지. 11월 1일. 나는 무심코 10월 달력을 넘겼다. 그리고 본 뒷면의 사진. 프랑스 파리의 어느 뒷골목 광경. 저 멀리 에펠탑이 보였다. 붉은 저녁노을. 노상 카페에는 담소를 나누는 연인의 모습.

나는 멋진 사진이라고 생각했다. 그리고 다음 날, 꽤 끌리는 사진이라고 느꼈다. 그리고 다다음 날, 사진 속 카페의 연인이 부러웠다. 그리고 다다음 날, 나는 그곳에 가고 싶었다. 그리고 생각해보니 못 갈 이유가 전혀 없었다. 나의 연차만 해도 25일. 거기에 앞뒤로 주말, 월휴 끼우면 한 달. 소위 <파리지앵으로 한 달 살기>가 딱 나왔다. 게다가 두툼한 나의 통장.

나의 해외여행에 회사 사람들은 모두 쌍수를 들고 환영하였다. 모 CF처럼 <열심히 일한 당신 떠나라>였다. 심지어 개발 이사님은 인천 국제 공항까지 나를 배웅하며 눈물까지 보였다.

태어나 처음 가 본 유럽. 모든 게 낯설고 불편했지만, 종일 웃음이 나왔다. 나는 현대인답게 각종 여행 블로그와 유튜버를 통해 얻은 지식을 활용해 첫 한 주일은 신나게 돌아다녔다. 하지만 볼 거 다 보고 먹을 거 다 먹어보고 나니 슬슬 지겨움과 외로움이 찾아왔다.

그래서 하루는 눈 딱 감고 동네 슈퍼에서 간식 정도만 사 와 종일 집에 머물렀다. 그런데 저녁때쯤 누군가가 나의 방문을 두드렸다.

맞은편 집 여자였다. 나를 파티에 초청했다. 값싼 부르고뉴 와인 한 병 사 들고 가 보니 남자 세 명에 달랑 여자 한 명, 나까지 모두 다섯 명뿐이었다. 알고 보니 그 여자의 송별식. 참석자는 모두 같은 집의 사람들. 즉 4개의 방에 여자 한 명, 남자 세 명이 각각 살고 있었다. 조촐한 파티는 새벽까지 이어졌고 나는 와인에 취해 그녀의 방에서 잠들었다. 다음 날 그녀는 헝가리로 떠났고 나는 그 방을 차지했다.

그리고 이어진 나의 멋진 기억들 - 향락, 퇴폐, 탐욕, 쾌락.

한 달이 눈 깜짝할 사이에 사라졌다. 어쩔 수 없이 귀국했다. 하지만 예전의 내가 아니었다. 삼 개월 만에 회사에 사표를 던졌다. 그리고 부라부라 짐을 쌌다. 그로부터 7년 8개월 동안 나는 유럽 곳곳을 헤매고 다녔다. 결국 나는 쾌락에 질인 도파민 중독자가 되었다.

하지만 불룩했던 나의 통장이 어느새 종잇장보다 가벼워졌을 때 어쩔 수 없이 나는 돌아와야만 했다. 그리고 할 수 없이 중소 IT 업체에 취업했다. 하지만 나는 일이 끔찍하게 싫었다. 나는 거짓말쟁이가 되었다. 제품 개발에 보름 걸릴 일은 한 달, 한 달 정도의 일은 석 달쯤 걸린다고 말했다. 당연히 얼마 안 가 뽀록날 수밖에 없었다. 그때부터 지긋지긋한 <직장 옮기기>가 시작되었다. 일 년에 여러 차례 짐을 싸고 짐을 풀었다.

어느새 내 나이 서른 후반. 세상을 호령하는 자신감은 온데간데없이 사라지고, 하루가 다르게 발전하는 정보통신업계에서 나는 퇴물 프로그래머가 되었다.

나는 나를 구원해 줄 녀석이 필요했다. 나의 퐁퐁남. 그동안 우스갯소리로 치부하던 설거지론(論)이 바로 내가 꿈꾸는 현실이 되었다. 나는 나의 이력을 화려하게 재포장했다. 그리고 결혼정보회사에 내밀었다.

"우선 인스타에 올라온 모든 해외여행, 명품, 오마카세, 고급 식당, 호텔 사진부터 삭제하세요."

나의 커플 매니저인 나직방이 요구했다. 내가 의아한 표정을 짓자 그녀는 한심하다는 듯한 표정으로 말했다.

"예전에는 벤츠 타고 다니는 남자 보면 다들 인정했죠. 하지만 요즈음은 안 그래요. 다들 카푸어(Car Poor)라고 의심부터 합니다. 무슨 뜻인지 알겠죠? 이런 허영과 사치가 통하는 시대가 아니라고요. 누구나 인정하는 재벌 집 자식이 아닌 이상 삼십 대 여성이 이런 고급 호텔에 명품 사진으로 인스타 도배를 하면 정신 똑바로 박힌 남자들은 처다보지도 않습니다. 알겠죠? 제 말뜻을? 대신 책 사진 많이 올려주세요. 도서관 사진도 좋고요. 애완동물은 호불호가 갈리니 일단 피해주시고요."

나는 그녀의 충고대로 수수한 차림의 정장과 평범한 핸드백을 겨드랑이에 끼고 시외버스터미널로 갔다. 그리고 나의 퐁퐁남 후보가 근무하는 대전행 버스에 몸을 실었다. 가면서 잔고를 두려운 마음으로 살짝 들여다봤다. 18만 원. 이걸로 한 달을 버텨야 한다. 내 몸 저 깊은 곳에서부터 한숨이 저절로 새어 나왔다. 후회막급. 쾌락의, 쾌락을 위한, 쾌락에 의한 삶의 뒤 끝은 비천하기 이를 데 없다. 지금 나는 순수하고 순박한 이에 빌붙어 비루한 삶을 연명하려고 한다.

"인생 뭐 별거 있어? 한순간인데. 그냥 속이면서 사는 거지 뭐."

사실 결혼정보회사에 등록 후, 잠깐이지만 정신을 차린 적이 있었다.

면접 자리에서, 똘망똘망한 눈망울로 나를 응시하며, 스타트업 컴퍼니 사장인 그는 내게 앱 개발 제안서를 내밀었다.

"할 수 있겠어요? 3개월 이내에."
"네. 가능합니다."
나는 미친 듯이 개발에 몰두했다. 정말이지 모처럼 만에 <몰입의 즐거움>을 누렸다.

사장은 매우 만족하였다. 내가 봐도 믿기지 않을 만큼 완벽한 앱이었다. 그는 내게 입사와 함께 회사 지분의 3%를 약속했다. 하지만 나는 목돈을 요구했다. 성형 수술비. 잠깐의 욕심이 나를 구렁텅이로 다시 몰아넣었다.

내가 만든 앱은 그 해 <최고의 독창적 스마트앱 어워드>를 수상했다. 론칭 6개월 만에 다운로드 1억 돌파, 액티브 유저 3,000만을 돌파했다. 재미있는 건 하루에 업로드되는 횟수가 평균 1억 건이었다. 나는 유명 IT 신문 및 잡지 표지를 장식한 사장의 환한 미소를 바라보며 씁쓸함을 감출 수 없었다.

대전에 도착한 나는 강변 옆에 우뚝 솟은 <신세상 타워 오마노 라운지>로 갔다. 나직방이 나를 발견하고 손을 흔들었다. 그녀의 옆에는, 호기심을 잔뜩 담은 표정의 남자가 은은한 미소를 짓고 있었다. 간단한 소개와 함께 주선자는 곧바로 자리를 떴다.

남자는 내게 메뉴판을 내밀었다. 그는 사진보다 실물이 나았다. 호졸근하고 궁상스러운 연구원을 예상했건만 그는 오히려 건장한 운동선수처럼 보였다.

"첫 만남에서 캐비어나 송로버섯 같은, 턱도 없이 값비싼 요리 절대 주문하지 마세요."

나는 커플 매니저의 충고대로 적당한 가격대의 파스타를 골랐다. 남자는 스테이크와 와인을 주문했다. 그는 내가 마음에 드는 모양이었다. 내가 애써 대전까지 내려온 것에 감사를 표하며 다음부터는 꼭 서울에서 만나자고 말했다. 나는 고개를 끄덕였다.

식전 빵과 샐러드가 나오자 그는 물을 한 모금 마시더니 준비해둔

질문을 끊임없이 쏟아내기 시작했다. 나는 그의 물음에 꼬박꼬박 대답했다. 사실 답하기 무척 쉬운 것들이었다. 대부분 가족, 성장기, 직장, 연애 경험, 인생관, 결혼관 등 지극히 일반적이고 상식적인 물음이었다.

와인을 한 잔씩 나누고 메인 요리를 먹는 동안 잠시 침묵이 흘렀다. 나는 그사이 내가 꿈꾸는 결혼 후의 모습을 머릿속에 그려 나갔다. 돈이 제공하는 항목들. 쇼핑, 레스토랑, 피트니스, 여행 등등. 착한 남편이 제공하는 느긋하고 풍족한 물질. 행복한 나의 미래.

"그런데 말입니다."
"네?" 나는 꿈에서 막 깬 공주처럼 고혹적인 미소를 띠며 대답했다.

"제가 수학과 출신에다 외국에서 오랫동안 공부를 해서 그린지는 모르겠지만, 아무튼 초면이지만 꼭 이 말씀을 드리고 싶습니다." 남자는 스테이크의 마지막 고깃덩어리를 꿀떡 삼키고 냅킨으로 입을 닦은 뒤 나를 쳐다보며 말했다.

"네, 무슨 말씀이신가요?" 나는 왠지 불길한 느낌을 받았지만, 짐짓 모른 척 나긋하게 물었다.

"저는 평등주의자입니다. 특히 남녀 관계에 대해서도." 나는 그의 말에 적이 안심되었다. 아니, 오히려 반가움이 앞섰다. 우리 사회 남녀평등만큼 여자에게 기분 좋은 말이 어디 있겠는가?

"저도 전적으로 동의하는 바입니다." 나는 그에게 감사의 미소를 띠며 고개를 끄덕였다.

신의 땅 물의 꽃

남킹 장편소설

남킹 컬렉션 #003

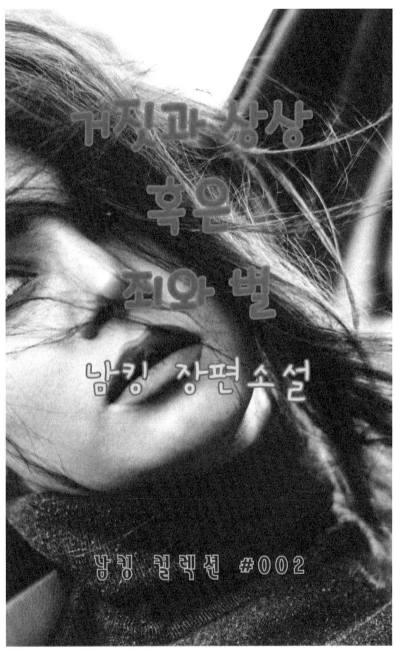

거짓과 상상
혹은
죄와 벌

남킹 장편소설

남킹 컬렉션 #002

버스 민폐녀 #3

나는 어떻게 서울 가는 고속버스표를 끊었는지 기억나지 않는다. 심지어 내가 어떻게 대전 시외버스터미널까지 왔는지도 잘 모르겠다. 나는 지금 엄청난 분노에 싸여있다. 나는 대기실 벤치에 앉아 분을 삭이지 못해 부들부들 떨기까지 한다.

"우리 사회 남녀 불평등이 하루빨리 해소되기를 바랍니다." 남자는 나를 사랑스러운 눈길로 바라보며 속삭였다.

"네. 맞습니다. 직장 내 성차별 많이 개선되었다고는 하지만 여전히 차별이 존재하니깐요." 나는 기분 좋게 와인을 들이키며 한없이 너그러운 표정을 지었다.

"그래서 저는 늘 주장합니다. 동일 노동이면 동일 임금 주고 동일 진급하고 동일 휴가 주는 게 맞다고 생각합니다."
"전적으로 옳으신 생각이십니다."
"맞습니다. 이제야 마음이 통하는 여성분을 만난 것 같습니다. 정말이지 오늘 기분이 좋습니다."
"네. 저도 비로소 인연을 만난 것 같아서…"
"모든 것은 공평해야 합니다. 공평하면 분쟁이 생길 수가 없습니다. 예를 들면 이런 겁니다. 자기가 먹은 식대는 자기가 내면 됩니다. 공평하죠. 결혼생활도 마찬가지입니다. 생활비 절반씩 공평하게 내고 육아도 공평하게 하루하루 번갈아 가며 하고 혼수 비용 절반 공평하게 내고 아파트 구매도 절반 공평하게 내어 공동소유하고 각종 세금 부대비용 등등 모든 거 절반씩 공평하게 내면 됩니다. 이 얼마나 평등한 세상입니까! 안 그렇습니까?"

"네? 자기가 먹은 식대라고요?" 나는 순간 귀를 의심했다.

"네. 그렇죠. 본인이 내야죠. 당연히. 공평하게. 어떻습니까? 제가 근사한 맥줏집 알고 있는데 2차로 가시겠습니까?" 남자는 일어나 성큼성큼 계산대로 갔다. 갑자기 술이 확 깼다. 내가 헛것을 들었는지 볼을 꼬집어보기까지 했다. 불안이 쓰나미처럼 밀려왔다.

'저놈이 방금 도대체 뭐라 씨불이며 간 거야?'
나는 슬며시 화장실로 들어가 시간을 끌었다. 그리고 조용히 나와 라운지 문으로 향했다. 심장이 벌컥벌컥 뛰었다. 하지만 내가 문의 손잡이를 잡는 순간, 누군가가 나를 붙잡았다.

"고객님 죄송하지만, 결제가 안 되었습니다." 올 것이 오고 말았다.

"네?"

종업원이 영수증을 내밀었다. 그곳에는 남자가 먹은 스테이크와 와인 절반 값만 결제가 되어 있었다.

'이 더럽고 치사하고 아니꼬운 새끼!' 순간 나는 끝없는 심연으로 빨려 들어가고 있었다.

'이런 새끼 만나려고 내가 피 같은 돈 끌어모아 수술까지 하다니!'

"그럼 얼마?"

"네. 16만 5천 원 결제하시면 됩니다. 고객님."

앞이 캄캄했다. 손이 부들부들 떨렸다.

'호 혹시 할부 가능한지'라고 물어보려는 순간 어느새 그놈이 내 곁에 다가와 있었다. 나는 지갑에서 신용카드를 집었다가 내려놓고 체크카드를 끄집어냈다. 신용카드는 결제가 안 될 가능성이 컸다. 한껏 자존심이 구겨질 대로 구겨진 나는 이 더러운 개자식에게 그런 치욕까지 당하고 싶지 않았다.

은행 잔고 만오천 원. 나는 지갑을 탈탈 털어 현금으로 버스표를 거우 마련했다.

나는 버스에 타자마자 등받이를 있는 힘껏 젖힌 다음 쓰러질 듯이 누웠다.

'저 치사한 새끼 만나려고 어젯밤 잠까지 설쳤는데…. 내가 병신 쪼다 같은 년이지….'

나는 버스 바닥을 있는 힘껏 발로 한번 구르고 눈을 감았다. 마음 같아선 이 버스와 함께 데굴데굴 구르다 콱 처박혀 산산조각 부서지고 싶었다. 초라하기 짝이 없는 존재. 그런데 그때였다. 또다시 누군 가가 나에게 말을 걸었다.

"저기 손님. 등받이 조금만 올려주세요. 뒷사람이 불편해하십니다."

눈을 떠 보니 중년의 운전사였다. 그는 공손한 표정과 온화한 미소로 나를 내려다보고 있었다. 하지만 내게 그는 쪼잔한 한국항공우주연구원 새끼와 다를 바 없는 남자였다.

"못하겠는데요. 뒷사람 불편한 게 제 탓입니까? 한껏 젖혀진 이 의자 탓이지!" 나는 버럭 화를 내며 눈을 감았다. 종로에서 뺨 맞고 한강에서 눈 흘긴다. 그 순간 내게 딱 맞는 속담이었다.

"손님, 이 버스는 누워서 가는 리무진 버스가 아닙니다. 일반 버스에요. 조금만 양해해주세요. "

"아니, 애초에 이만큼 젖혀지게 만든 거잖아요! 뭐가 문제에요? 공장에서 이렇게 생산되어서 나온 건데. 버스 제조회사에 가서 따지세요. 씨팔!" 나는 참았던 울분을 토해내듯 사방을 둘러보며 욕설을 뿜어 재꼈다. 그러자 뒷좌석에서 어떤 젊은이가 외쳤다.

"다른 사람 피해가 되니까 그런 거죠. 조금만 양보하세요. 자유라는 게 남에게 피해는 주지 말아야 하잖아요. "

"거절하는 것도 나의 자유야! 이 개자식아!" 나는 벌떡 일어나 녀석에게로 달려들 듯한 표정으로 째러봤다. 그런데 그 순간 나는 놀라고 말았다. 뒤에 탔던 모든 승객이 휴대폰으로 나를 찍고 있었다.

"그럴 거면 리무진 버스 타세요!" 어디선가 누군가가 이렇게 외쳤다.

"입장을 바꿔 생각해봐!" 이런 소리도 들려왔다.

"나이 처먹었으면 그냥 곱게 가!" 저런 소리도 울려 퍼졌다.

"너나 잘해! 이 더러운 관종 새끼들아!" 나는 소리 나는 쪽으로 죽일 듯이 달려들어 나를 찍고 있는 녀석 중 휴대폰 하나를 뺏었다. 그리고 화면을 들여다봤다.

<골바로업> 앱이었다. 내가 지극 정성으로 만든 앱. 수려한 인터페이스. 편리한 다기능.

촬영과 동시에 실시간으로 페이스북, 인스타그램, 틱톡, 유튜브뿐만 아니라 전 세계 444군데 커뮤니티 사이트와 66군데 무료 동영상 플랫폼에 자동 등록되는 편리하기 짝이 없는 앱. 게다가 음성 캡처와 자동 번역기능까지. 누가 봐도 매력적인 내가 만든 바로 그 앱.

나의 사랑스런 자식 같은 앱이 지금 나를 천하의 몹쓸 <버스 민폐녀>로 만들고 있다.

블루 드래곤

744

낚킹 시리즈

낚킹 컬렉션 #006

남킹 컬렉션 #018

천일의 여황제

세빈의 남자

남킹 판타지 소설

그레고리 흘라디의 묘한 죽음

남킹

남킹 컬렉션 #001

신의 땅
물의 꽃

남킹 장편소설

남킹 컬렉션 #003

심해
DEEP SEA

남킹 SF 장편소설

남킹 컬렉션 #004

남킹 컬렉션 #005

당신을 만나러 갑니다

남킹 사랑 이야기

블루 드래곤
744

남킹 대본집

남킹 컬렉션 #006

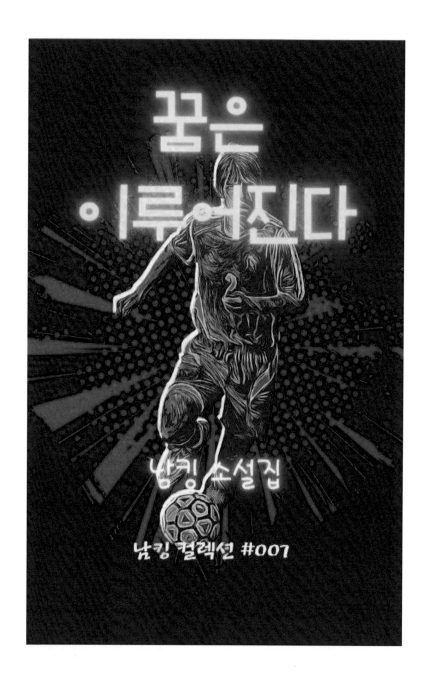

삶을 관통하는 이야기

파벨 예언서

떠오르는 위협

남킹 장편소설

남킹 컬렉션 #008

떠날 결심

남킹 미니픽션

남킹 컬렉션 #009

리셋
Reset

남킹 SF 소설집

남킹 컬렉션 010

남킹 컬렉션 #011

1월의 비

남킹 감성 소설집

남킹 컬렉션 #012

남킹의 문장 1

언어의 마법사 남킹의 문장들

남 킹 컬렉션 #013

남킹의 문장 2

언어의 마법사 남킹의 문장들

남킹의 문장
3

언어의 마법사 남킹의 문장들

남킹 컬렉션 #014

남 킹 판타지 소설 집

하니은 매화

남 킹 컬렉션 #015

남킹 컬렉션 #16

남킹의 문장

4

남킹 컬렉션 #017

스네이크 아일랜드

1권

죽고싶지만 복수는 하고 싶어

남킹 판타지 스릴러

남킹 컬렉션 #018

천일의 여황제

세빈의 남자

남킹 판타지 소설

남킹 컬렉션 #019

이방인

남킹 장편소설

거리를
비워두세요

남킹 음악 에세이

남킹 컬렉션 #020

사랑 그 쓸쓸함
에 대하여

남 킹 음악 산문

남킹 컬렉션 #021

알리칸테는
언제나 맑음

남 킹 에 세 이

남킹 컬렉션 #023

길에 내리는 빗물

남 킹 소 설 집

남킹 컬렉션 #024

서글픈
나의 사랑

남킹 장편소설

남킹 컬렉션 #025

남킹 SF
소설집

브 런 치 스 토 리

남킹 컬렉션 #026

브런치 스토리

남킹 사랑 소설집

남킹 컬렉션 #028

남킹 스토리
브런치 스토리

남킹 컬렉션 #029

남킹의 음악과 글

브런치 스토리

남킹 컬렉션 #031

남킹 이야기

브런치 스토리

남킹 컬렉션 #032

눈물이 당신의
볼을 타고
브런치 스토리

남킹 컬렉션 #033

시시포스

브런치 스토리

남킹 소설집

남킹 컬렉션 #034

남킹 장편소설
미리보기

그
레
고
리
흘
라
디
의
묘
한
죽
음

스
네
이
크
아
일
랜
드

파
벨
예
언
서

거
짓
과
상
상
혹
은
죄
와
벌

신
의
땅
심
해

천
일
의
여
황
제

이
방
인

물
의
꽃

남킹 컬렉션 #035

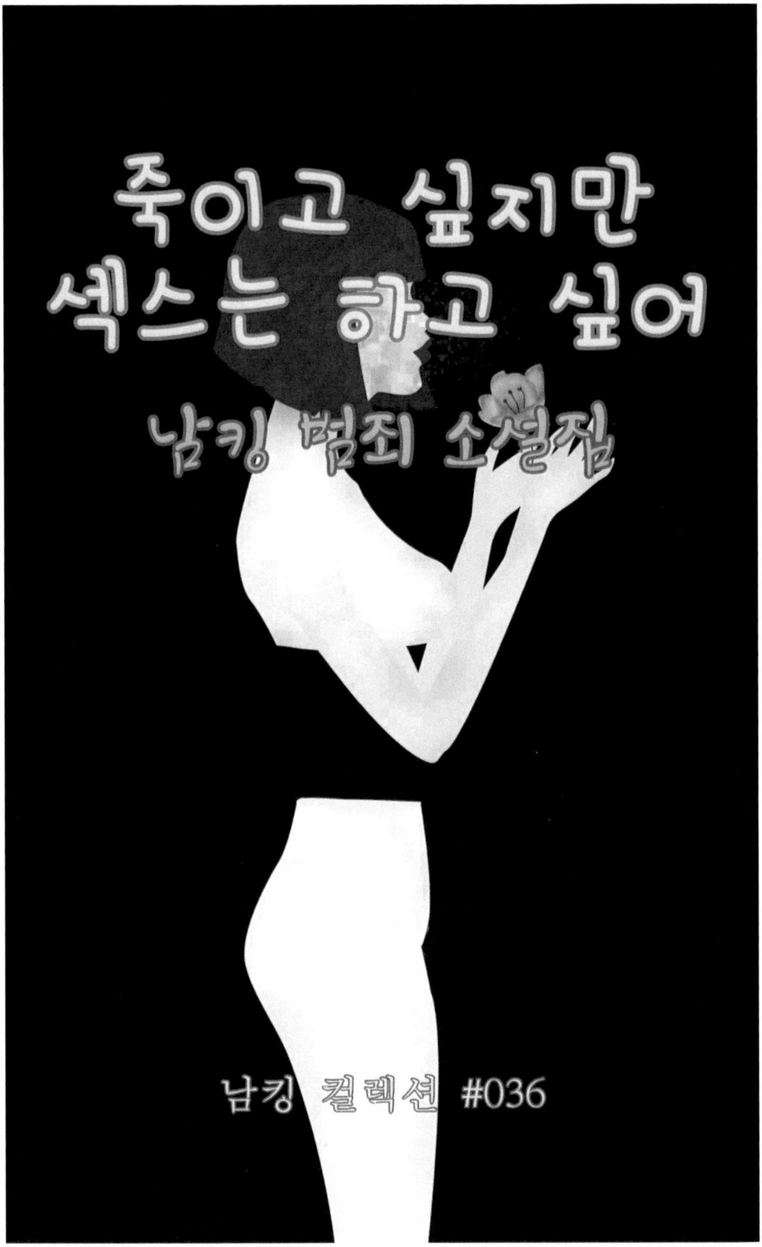
죽이고 싶지만
섹스는 하고 싶어
남킹 범죄 소설집
남킹 컬렉션 #036

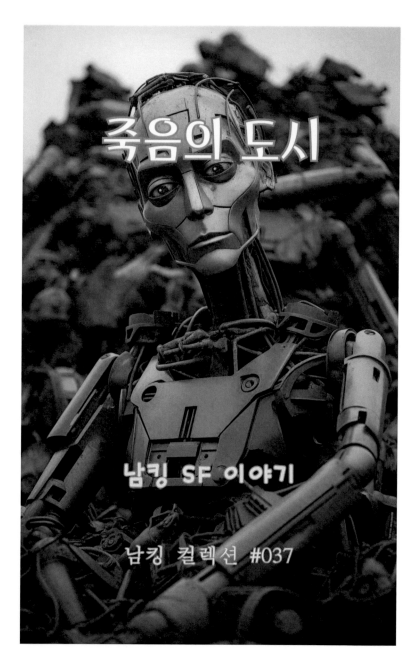

죽음의 도시

남킹 SF 이야기

남킹 컬렉션 #037

제니로 알려진
노금희

남킹의 기이한 이야기

남킹 컬렉션 #038

삶을 관통하는 이야기